PROFIL[illegible]

Collection dirig[illegible]

La Bête humaine

(1890)

ÉMILE ZOLA

RENÉE BONNEAU
Ancienne élève de l'École normale supérieure
Agrégée des Lettres

Sommaire

 ISSN 0750-2516 ISBN 2-218-74068-0

TROISIÈME PARTIE 95

Cinq lectures méthodiques

ANNEXES 126

Les indications de pages renvoient à l'édition Gallimard de* La Bête humaine*, collection « Folio », n° 948.

Édition : Luce Camus
Maquette : Tout pour plaire
Mise en page : Christine Paquereau-Le Masle

FICHE PROFIL

La Bête humaine (1890)

Émile Zola (1840-1902)

Roman — XIXe siècle

RÉSUMÉ

Séverine Roubaud, femme du sous-chef de la gare du Havre, est la filleule du président Grandmorin. Son mari découvre qu'elle a été sa maîtresse et, fou de jalousie, la contraint à l'aider à assassiner Grandmorin à bord de l'express Paris-Le Havre.

Mais Jacques Lantier, mécanicien sur la même ligne, entrevoit le crime et, très vite, devine qui en sont les auteurs. Pour acheter son silence, Roubaud encourage sa femme à le séduire. Jacques s'éprend de Séverine et espère grâce à elle échapper à la tare héréditaire qui prend chez lui la forme de la folie criminelle. Le juge d'instruction Denizet, bien qu'il ait frôlé la vérité, préfère, au nom de la raison d'État et sous la pression du ministère de la Justice, ne pas laisser salir la mémoire de Grandmorin, et l'affaire se conclut par un non-lieu.

Tandis que les relations du couple Roubaud-Séverine se dégradent, la liaison de Jacques et de la jeune femme provoque la jalousie de Flore, fille des garde-barrière, qui fait dérailler leur train et, les voyant sains et saufs, se suicide. Les deux amants s'apprêtent à supprimer Roubaud, qui gêne leurs amours, mais c'est Séverine que Jacques tuera, repris par sa névrose. Roubaud et Cabuche, un homme fruste surpris sur les lieux du crime, seront condamnés comme complices pour le premier et le second meurtre. Jacques, en luttant à bord du train avec son chauffeur Pecqueux, qui, ivre, l'a provoqué, tombe avec lui sur la voie. Le train, privé de conducteur, s'enfonce dans la nuit vers l'inévitable catastrophe.

PERSONNAGES PRINCIPAUX

– **Roubaud,** sous-chef de gare au Havre.

– **Séverine,** sa femme, filleule du président Grandmorin.

– **Jacques Lantier,** mécanicien atteint d'une névrose criminelle.

– **Pecqueux,** chauffeur de Lantier.

– **Flore Misard,** fille des garde-barrière, amoureuse de Jacques.

– **Cabuche,** un vagabond, amoureux de Séverine.

– **Grandmorin,** président de la Compagnie des chemins de fer.

– **Denizet,** juge d'instruction.

– **Camy-Lamotte,** secrétaire général au ministère de la Justice.

– **La Lison,** locomotive de Jacques, traitée dans le roman comme un véritable personnage.

CLÉS POUR LA LECTURE

1. Un roman naturaliste

L'étude d'un milieu : Zola situe *La Bête humaine* dans un milieu particulier de la société du Second Empire : celui des chemins de fer. Le postulat romanesque de l'hérédité : Jacques Lantier porte en lui la tare héréditaire des *Rougon-Macquart* que lui a transmise sa mère Gervaise. Chez lui, elle prend la forme d'une folie homicide à dominante sexuelle qui le conduira au meurtre.

2. Un roman terriblement violent

Meurtres crapuleux, passionnels, sexuels, viols, s'appellent et s'enchaînent. Une catastrophe ferroviaire, un suicide, complètent ce tableau de violence qui suscite l'horreur chez le lecteur.

3. La transfiguration du réel : Zola visionnaire

Dépassant le registre du documentaire, chez Zola, la description s'élève au niveau de la poésie. Le voyage dans la neige, la mort de la Lison, transfigurée en cavale géante, relèvent de l'épopée.

4. La critique sociale et politique

En cette période où le Second Empire est menacé, il faut rassurer l'opinion et sauvegarder la réputation des notables, fût-ce au prix d'une erreur judiciaire.

PREMIÈRE PARTIE

Résumé et repères pour la lecture

Le complot

RÉSUMÉ

L'attente de Roubaud (p. 27-33). Février 1869. À Paris, Roubaud, sous-chef de gare au Havre, attend sa femme Séverine dans une chambre, impasse d'Amsterdam, près de la gare Saint-Lazare. Il a été convoqué par la direction à la suite d'un incident avec un voyageur influent. Mais Séverine est la filleule du président de la Compagnie, Grandmorin, qui l'a élevée et la protège : la plainte du voyageur restera sans effet. Séverine a profité de ce voyage pour faire des courses et tarde à rentrer. Roubaud trompe son impatience en observant de sa fenêtre le trafic de la gare Saint-Lazare.

Le repas (p. 27-43). La jeune femme arrive enfin. Séverine évoque son passé et la générosité de son tuteur à son égard. Roubaud s'étonne des réticences de sa femme à accepter depuis quelque temps les invitations de Grandmorin.

La scène violente (p. 43-55). Après s'être mis ensemble à la fenêtre, pour observer la gare, le couple a une dispute : Séverine refuse les avances pressantes de son mari. Puis elle se trahit, et Roubaud comprend qu'elle a été la maîtresse de son protecteur. Fou de jalousie rétrospective, il obtient son aveu complet en la brutalisant.

Projet de meurtre (p. 55-62). Roubaud décide de tuer Grandmorin et associe de force Séverine à son projet de vengeance : un mot écrit de la main de la jeune femme attirera Grandmorin dans le train qu'ils doivent reprendre pour le Havre et à bord duquel ils le tueront.

REPÈRES POUR LA LECTURE

Le milieu des chemins de fer

Le chapitre est rythmé par les étapes de la description de la gare Saint-Lazare à différentes heures, du mouvement et des horaires des trains.

Les personnages

Quelques indications sur le physique de Roubaud dénotent un caractère jaloux et violent (p. 31).

Séverine est fine et séduisante, c'est une femme-enfant coquette. Elle est d'une « distinction native » (p. 32). Elle connaît son pouvoir sur les hommes, et l'on devine assez vite les relations troubles qu'elle a eues avec son « tuteur », le président Grandmorin.

Les éléments générateurs du drame

Séverine, en se trahissant, a révélé à Roubaud son passé. La fureur jalouse de Roubaud l'amène à décider l'assassinat de Grandmorin, dont, par un enchaînement fatal, découleront les autres crimes.

Les signes et les images symboliques

Une série de signes et d'images annoncent les meurtres futurs : ainsi, le couteau qu'offre Séverine à son mari et qui sera l'instrument du premier crime ; et l'image, reprise plusieurs fois dans le roman, du « triangle rouge » des feux arrière des trains, symbolisant le trio criminel Séverine-Jacques-Roubaud.

L'alternance des points de vue

Le récit joue sur l'alternance entre le point de vue d'un narrateur omniscient et, plus fréquente, la focalisation interne. Le narrateur omniscient connaît le présent et le passé de Roubaud, et de Séverine. Mais il est relayé par la focalisation interne qui nous place à l'intérieur des personnages. C'est à travers leur regard que nous prenons connaissance du décor : « elle l'avait rejoint à la fenêtre [...] regardant le vaste champ de la gare » (p. 34) ; « ils regardaient [...] sous eux, les petites machines de manœuvre » (p. 43).

La technique descriptive

Dépassant le cadre documentaire, la description rejoint les tableaux des impressionnistes contemporains de Zola, que celui-ci admirait. On retrouve, avec le pont de l'Europe, le sujet repris par Caillebotte, et avec les effets de lumière sur les verrières, le jeu des fumées, la transformation de l'éclairage au fur et à mesure du passage des heures, la manière de Claude Monet (voir Lecture méthodique n° 1, p. 96).

CHAPITRE II (pages 63 à 98)

Le meurtre

RÉSUMÉ

Jacques chez les Misard (p. 63-78). Le mécanicien Jacques Lantier rend visite à sa tante Phasie, femme du garde-barrière Misard, qui habite à la Croix-de-Maufras, sur le bord de la voie entre Barentin et Malaunay (voir schéma ci-dessous). Il passera la nuit chez eux.

Il passe devant la maison du président Grandmorin, abandonnée et sinistre. De sombres rumeurs circulent à son sujet. C'est là que la plus jeune fille des Misard, Louisette, a probablement été violée par Grandmorin, chez qui elle travaillait comme femme de chambre. Elle est allée mourir chez Cabuche, un homme fruste qui habite une cabane dans les bois. Phasie confie à Jacques que son mari l'empoisonne pour s'approprier un petit magot provenant d'un héritage, et qu'elle a caché.

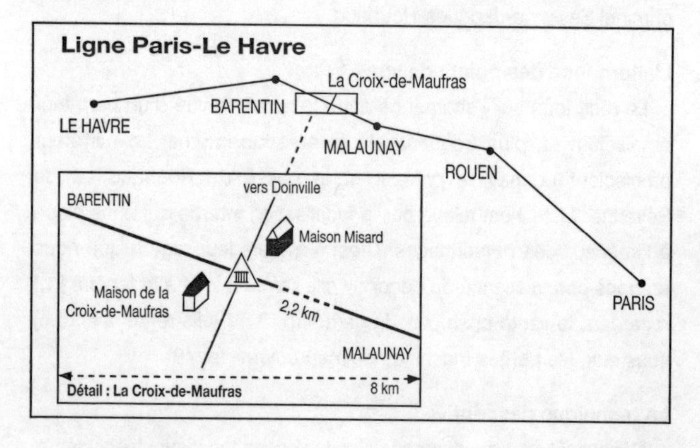

La scène avec Flore (p. 78-83). Jacques est sorti se promener dans la nuit avant d'aller se coucher. Il rencontre Flore, la fille de Phasie, une belle et forte jeune fille qui est amoureuse de lui. Elle le repousse néanmoins par un sursaut de pudeur, ils luttent et, au moment où elle s'abandonne, Jacques est pris d'une folle envie de l'égorger.

La fuite de Jacques. Sa « fêlure » (p. 83-91). Jacques fuit pour échapper à la terrible tentation. Il est porteur de la « fêlure héréditaire » transmise par sa mère Gervaise, qui prend chez lui la forme de la folie criminelle. Il erre le long de la voie ferrée, et croit apercevoir, dans le train qui passe à toute allure, une scène de meurtre.

La découverte du corps (p. 83-98). On vient de trouver sur la voie le corps de Grandmorin que Jacques contemple avec une fascination morbide.

REPÈRES POUR LA LECTURE

Le chapitre s'articule autour de deux thèmes, apparemment différents, mais en fait intimement liés :
– la Croix-de-Maufras est présentée comme un lieu maléfique. Elle est le théâtre de plusieurs morts violentes. Les trains y passent jour et nuit, ébranlant les maisons, indifférents aux douleurs des hommes ;
– le personnage de Jacques Lantier doit y accomplir son crime et tout concourt à l'enfermer dans le piège du destin.

Un lieu maléfique

Le carrefour de la Croix-de-Maufras est le lieu où se concentrent tous les crimes du roman :
– La maison du président Grandmorin, aujourd'hui abandonnée, apparaît d'emblée comme un lieu de mort. Son allure est sinistre : « Toujours close », elle est « posée de biais » (p. 63). Le chemin de fer qui « coupe » son jardin représente à la fois l'agression (avec l'emploi du verbe *couper*, récurrent dans tout le roman) et la pénétration du monde mécanique dans la vie des hommes. Le malaise qu'éprouve Jacques en la voyant est le pressentiment du meurtre qu'il sera amené à y accomplir (chap. x) : « Elle le hantait sans qu'il sût pourquoi, avec la sensation confuse qu'elle importait à son existence » (p. 78). Immobile et solitaire au bord de la voie, elle est ébranlée par le passage des trains emportant une foule indifférente aux drames qui s'y jouent.
– Non loin de là, dans sa maison de garde-barrière, Misard empoisonne lentement sa femme Phasie.

– C'est à cet endroit également qu'aura lieu la catastrophe provoquée par Flore (chap. x), qui fait dérailler l'express de Jacques, avant de se faire broyer par un train dans le tunnel.

Ces trains qui filent à grande vitesse, indifférents aux drames humains, sont le symbole du progrès : « ça, c'était le progrès, tous frères, roulant tous ensemble, là-bas [...] » (p. 76). Mais ce progrès n'efface pas la sauvagerie inhérente au cœur de l'homme : « On va plus vite [...] mais les bêtes sauvages restent des bêtes sauvages [...] » (p. 72).

Ce thème, repris plusieurs fois dans le roman, en sera la leçon finale.

La tare héréditaire

La tare héréditaire est celle qui marque Jacques Lantier, personnage principal du roman, qui apparaît ici pour la première fois : « La famille n'était guère d'aplomb, tous avaient une fêlure. [...] C'était dans son être [...] comme des cassures, des trous par lesquels son moi lui échappait [...] ». Le récit explique longuement (p. 84-85) l'origine et les symptômes de cette « fêlure » qui pousse Jacques Lantier à tuer les femmes, et contre laquelle il a lutté en se condamnant à une vie solitaire et chaste. Zola, en rattachant son héros à ses origines, fait, plus nettement encore que dans les romans précédents, la démonstration de l'inéluctable influence de l'hérédité.

Contre celle-ci, contre le destin, Jacques n'a aucune chance : sa fuite éperdue pour éviter de devenir un assassin l'amène au bord de la voie ferrée où il aperçoit confusément, dans le train qui passe à toute allure, la scène du meurtre de Grandmorin. Témoin du crime, il éprouve ensuite un trouble malsain en découvrant sur la voie le corps décapité du président Grandmorin, et ressent une sorte d'envie devant un acte qu'il n'a encore jamais osé accomplir. Le processus fatal qui le conduira lui-même au meurtre est enclenché.

Le lexique de la bestialité qui est employé à son propos est récurrent dans le chapitre : « il obéissait à ses muscles, à la bête enragée » (p. 85) ; « une sauvagerie qui le ramenait avec les loups mangeurs de femmes, au fond des bois [...] » (p. 85).

CHAPITRE III (pages 99 à 127)

La découverte du crime

RÉSUMÉ

Roubaud prend son service (p. 99-115). Roubaud, comme si de rien n'était, mais angoissé dans l'attente de la découverte du crime, prend son service. Séverine et lui sont rentrés dans la nuit, et leurs voisins, les Lebleu, qui leur disputent un logement, les épient avec malveillance. Roubaud, tendu, écoute à peine les explications de Pecqueux, chauffeur[1] de la locomotive que conduit le mécanicien Jacques Lantier.

La découverte du crime (p. 117-127). On a découvert le corps du président Grandmorin sur la voie, et le commissaire préposé à la surveillance questionne les éventuels témoins : les Roubaud, qui surmontent l'interrogatoire, et Jacques Lantier, qui évoque la scène entrevue. Il surprend, fixé sur lui, le regard terrifié de Séverine : les aurait-il identifiés ?

REPÈRES POUR LA LECTURE

Si le premier chapitre s'ouvrait sur la gare Saint-Lazare, le troisième a pour cadre l'autre bout de la ligne, la gare du Havre. L'étude du milieu ferroviaire se poursuit et l'on fait plus ample connaissance avec le personnage de Roubaud.

L'étude du milieu ferroviaire

Objet du roman, elle est complétée par l'évocation des querelles qui divisent le personnel. On découvre la vie quotidienne des employés, leurs problèmes professionnels ou sentimentaux, leurs liaisons, les commérages, les rivalités au moment des avancements.

---

1. Le *mécanicien* conduit la locomotive. Il est assisté par un *chauffeur*, chargé de l'alimentation en charbon de la chaudière. Les deux hommes forment une équipe affectée à une locomotive particulière, et sont responsables de son entretien. Les économies de charbon qu'ils peuvent faire leur donnent droit à une prime.

Séverine et Roubaud, à cause des protections dont ils bénéficient, sont l'objet des jalousies. Des querelles s'enveniment à propos des logements, plus ou moins bien situés, plus ou moins grands, plus ou moins sombres. Rien n'échappe au regard des autres dans ce petit monde fermé qu'est la gare du Havre : « Toute la gare, en effet, se passionnait, dans cette guerre des deux logements [...] » (p. 114).

Roubaud

Le personnage est ici montré dans ses fonctions de sous-chef de gare. On le suit dès l'aube, tandis qu'il s'acquitte de ses activités quotidiennes, surveille le trafic, vérifie l'entretien des machines. C'est à l'époque un employé consciencieux et responsable, qui, peu à peu, après son crime, se laissera aller à la négligence et à la paresse (chap. VI).

La narration, d'abord entreprise d'un point de vue objectif lorsqu'il s'agit de la partie « documentaire » du chapitre – celle où l'on suit Roubaud dans ses activités professionnelles –, passe en focalisation interne dès qu'il s'agit d'évoquer son attente anxieuse de la découverte du cadavre de Grandmorin. On suit la montée de sa nervosité, la préparation de son alibi, son soulagement après son interrogatoire réussi, jusqu'au moment où Jacques, qui a aperçu le crime depuis la voie, risque d'être en mesure de le reconnaître : « En se sentant dévisagé, Roubaud la regarda [...] Il n'y avait aucune accusation dans ces regards ardemment curieux ; et il croyait pourtant voir poindre le soupçon vague [...] » (p. 122).

CHAPITRE IV (pages 129 à 165)

L'« erreur judiciaire »

RÉSUMÉ

Le juge Denizet (p. 129-134). Au palais de justice de Rouen, le juge d'instruction Denizet, intelligent et ambitieux, commence son enquête et examine les pistes qui s'offrent à lui : celle des Roubaud, qui auraient l'intérêt pour mobile ; celle d'un inconnu mystérieux ; celle de Cabuche qui aurait voulu venger Louisette. Il subit de la part de Camy-Lamotte, secrétaire général au ministère de la Justice, de discrètes pressions : vu la personnalité de la victime, le juge doit se montrer prudent et éviter que des rumeurs se réveillent à son propos. Le Second Empire est en butte aux assauts des républicains, à l'affût du moindre incident à l'approche des élections législatives.

Les premiers interrogatoires (p. 134-151). Le juge Denizet entend les témoins : les Roubaud et la famille du président Grandmorin : sa sœur, Madame Bonnehon, sa fille et son gendre, les Lachesnay, avec lesquels Denizet se comporte avec déférence. Ils laissent paraître leur rancœur à l'égard des Roubaud, s'estimant spoliés par le legs qu'a fait le président à Séverine. Ils s'appliquent à aiguiller les soupçons du juge sur le ménage Roubaud, autant par intérêt que par désir d'éliminer l'autre piste qui porterait atteinte à la mémoire de Grandmorin.

Le témoignage de Jacques (p. 151-157). Jacques dépose et comprend devant l'attitude tendue du couple, que celui-ci est coupable ; mais, troublé par le regard angoissé de Séverine, il se tait.

Cabuche interrogé (p. 157-163). Cependant, Denizet, bien qu'ayant flairé une partie de la vérité, préfère orienter l'enquête en direction de Cabuche, coupable idéal. Celui-ci, sans alibi, ne cachant pas sa haine envers la victime, proteste en vain de son innocence.

L'inquiétude des Roubaud (p. 157-165). Denizet reçoit une lettre du ministère qui inquiète les Roubaud : aurait-on trouvé le billet envoyé par Séverine à Grandmorin ? Jacques les a-t-il reconnus ? Pour le faire taire, Roubaud décide de se l'attacher au moyen de Séverine.

REPÈRES POUR LA LECTURE

Ce sont les débuts de l'enquête, et le récit démonte les mécanismes des ambitions et des intérêts politiques qui vont la fausser. La première « erreur judiciaire » se met en place. Les véritables coupables, pour s'assurer de leur impunité, n'auront plus qu'à obtenir le silence du seul témoin gênant.

Intérêts et ambitions politiques

L'arrière-plan politique est primordial : l'Empire est en crise et il ne faut pas laisser à l'opposition matière à l'ébranler davantage. Il convient donc de faire taire les rumeurs concernant les débauches d'un notable de la grande bourgeoisie au pouvoir : « On voulait connaître la vérité pour la cacher mieux, s'il était nécessaire » (p. 131).

Les ambitions sont celles du juge Denizet sur lequel fera pression le secrétaire général au ministère de la Justice, Camy-Lamotte. Celui-ci lui a discrètement laissé espérer un avancement s'il se montre prudent et obéissant. En outre, Denizet est un mondain qui, pour ne pas déplaire à la famille du président, renonce à suivre la vraie piste qui établirait un lien entre le crime et les anciennes affaires de mœurs concernant la victime.

Son intuition et la découverte d'un éventuel mobile lui désignent comme coupables les Roubaud. Mais il choisit, à la fin des interrogatoires – qu'il a pourtant menés avec sagacité –, de détourner l'accusation sur le fruste Cabuche, incapable de se défendre.

L'« erreur judiciaire »

Elle bénéficie aux véritables coupables, Roubaud et Séverine, qui n'auront plus qu'à s'assurer de la complicité de l'unique témoin.

Roubaud, qui a compris que Jacques Lantier les a bien reconnus, décide, pour le faire taire, de lui jeter sa femme dans les bras. Ainsi le trio est constitué, qui va maintenant se trouver au centre du roman.

La séductrice

RÉSUMÉ

Séverine chez Camy-Lamotte (p. 167-178). Séverine arrive à Paris à bord de l'express conduit par Jacques Lantier. Roubaud, sous un vague prétexte, a demandé au jeune homme de l'accompagner : il s'agit en fait pour Séverine de séduire Jacques et d'acheter son silence. La jeune femme rend visite à Camy-Lamotte, secrétaire général au ministère de la Justice, pour lui demander sa protection concernant la convocation disciplinaire de son mari, et également tenter de savoir où en est l'instruction. Sensible, comme son ami Grandmorin, à la séduction de Séverine, Camy-Lamotte conçoit malgré tout des soupçons sur la jeune femme et lui fait faire discrètement un test d'écriture.

L'entretien avec Denizet (p. 178-183). Le juge Denizet vient informer Camy-Lamotte des progrès de son enquête et lui affirme que Cabuche est coupable. Camy-Lamotte, qui a deviné l'identité des vrais coupables, se tait et, désireux de ne pas compromettre la respectabilité de Grandmorin, lui suggère d'abandonner cette piste incertaine et de classer l'affaire, en lui faisant discrètement espérer une promotion. Le juge Denizet concluera donc par un non-lieu[1]. Mais Camy-Lamotte, à son départ, découvre que ses soupçons étaient fondés : c'est bien Séverine qui a écrit le billet.

Jacques et Séverine (p. 184-191). Jacques et Séverine se promènent dans le quartier des Batignolles et le jeune homme s'éprend de Séverine. Il décide de la protéger. Elle lui promet son amitié.

Séverine rassurée (p. 191-195). Séverine retourne chez Camy-Lamotte qui lui annonce que Roubaud ne sera pas sanctionné. Tout en lui laissant entendre qu'elle est à sa merci, à cause de la lettre, il repousse ses avances. Séverine le quitte, soulagée.

---

1. Décision par laquelle une juridiction d'instruction déclare qu'il n'y a pas lieu de continuer les poursuites contre un inculpé.

Jacques et la Lison (p. 195-203). Avant de repartir pour Le Havre, Jacques inspecte sa machine, la Lison, qu'il aime et soigne comme un être vivant. Pendant le trajet Paris-Le Havre, plus que jamais attentif à sa manœuvre et l'esprit plein de Séverine, Jacques voit défiler le paysage, non sans éprouver, comme à chaque fois, un indéfinissable malaise aux abords de la Croix-de-Maufras.

REPÈRES POUR LA LECTURE

L'enjeu du chapitre est le même que celui du chapitre précédent mais, cette fois, le personnage agissant est Séverine, dont la séduction s'exerce à la fois sur Jacques et sur Camy-Lamotte, avec lequel elle joue finement la comédie. Celui-ci, qui n'est pas dupe, renonce, par souci politique, à démasquer la jeune femme et ne détrompera pas le juge Denizet qui s'égare sur une fausse piste. Zola fait à cette occasion le procès du Second Empire déclinant qui, pour se préserver, est prêt à toutes les compromissions.

Apparaît en fin de chapitre le couple formé par le mécanicien et sa machine, la Lison, présentée comme un véritable personnage et qui occupe dans la vie de Jacques une place particulière.

Une scène de comédie

Séverine et Camy-Lamotte jouent au chat et à la souris. Séverine, qui craint que Camy-Lamotte ne détienne une preuve contre elle – la lettre par laquelle elle avait attiré Grandmorin dans le train – use très habilement de leurs relations communes avec le président Grandmorin. Elle se place sous sa protection puisque la mort de son parrain l'a privée d'un appui. Elle tente de l'attendrir : « Cela était dit sur un ton parfait, sans exagération d'humilité ni de chagrin, avec un art inné de l'hypocrisie féminine » (p. 173). Elle tente quelques « coups de sonde » pour apprendre ce que son interlocuteur sait vraiment.

Camy-Lamotte n'est pas dupe de la jeune femme. L'amateur de femmes qu'il est apprécie sa séduction et s'amuse à la voir tenter de le manipuler. Les deux personnages se guettent : « Monsieur Camy-Lamotte étudiait jusqu'aux petits battements imperceptibles de ses lèvres [...] » (p. 175) ; « Elle aussi ne le quittait pas du regard, épiant les moindres plis de son visage, se demandant s'il avait trouvé la lettre » (p. 175).

Le procès du Second Empire

Derrière ces scènes de comédie apparaît l'intention de Zola, qui régit toute la série des *Rougon-Macquart*, de peindre les corruptions du Second Empire, où « la fonction judiciaire n'était plus qu'un métier comme un autre », ayant perdu sa morale et toute déontologie[1] (p. 183).

Camy-Lamotte, qui préfère voir le juge Denizet s'engager sur une fausse piste qui arrange les intérêts de l'État, le manipule facilement : « Personne ne songe à peser sur votre indépendance [...] » (p. 182), lui assure-t-il pour sauvegarder l'amour-propre du juge. Mais il lui laisse aussitôt espérer une promotion : « D'ailleurs, nous savons à qui nous nous adressons. Voilà longtemps que nous suivons vos efforts, et je puis me permettre de vous dire que nous vous appellerions dès maintenant à Paris, s'il y avait une vacance » (p. 182).

Le mécanicien et sa machine

Dans la dernière partie du chapitre apparaît le couple formé par le mécanicien et sa machine. La Lison est pour Jacques un substitut des femmes qui jusqu'ici lui ont été interdites, à cause de sa « fêlure ». C'est pour lui un objet de transfert sexuel.

« Et c'était vrai, il l'aimait d'amour, sa machine [...]. Il l'aimait en mâle reconnaissant » (p.196). Le lexique joue à la fois sur le registre humain et sur le registre animal. La Lison en effet, est également assimilée à une cavale (terme épique) qu'il a domptée : « Avec son poitrail large, ses reins allongés et puissants [...] » (p. 195).

Mais, dans ce couple, un personnage va s'introduire et troubler leurs rapports : c'est Séverine. Jacques se fera désormais le chevalier servant de la jeune femme dont il se sent en quelque sorte responsable, et, quand il le faudra, il sera prêt à lui sacrifier la Lison.

1. La *déontologie* est l'ensemble des règles morales relatives à une profession.

Le ménage à trois

RÉSUMÉ

Les Roubaud après le crime (p. 205-212). Au Havre, la vie a repris son cours. L'affaire Grandmorin est classée : personne n'a été inculpé. Les Roubaud entrent en possession de leur héritage et mettent en vente la maison de la Croix-de-Maufras. Ils tentent d'oublier leur crime, mais l'argent et la montre du président, qu'ils ont pris sur le corps pour faire croire à un crime crapuleux, hantent Roubaud.

Jacques et Séverine (p. 212-221). Roubaud attire Jacques chez lui et peu à peu l'amitié entre Jacques et Séverine se transforme en amour sincère.

Le ménage à trois (p. 221-239). Jacques et Séverine deviennent amants. Séverine découvre dans les bras de Jacques la passion charnelle, et Jacques se croit guéri de sa folie meurtrière. Ils se retrouvent désormais chaque vendredi à Paris. Roubaud, peut-être pour oublier son crime, se réfugie dans le jeu et la boisson. Il a osé toucher à l'argent pris sur le corps de Grandmorin ; Séverine le surprend et le couple se dispute violemment. La jeune femme ne ressent plus pour son mari qu'horreur et mépris.

REPÈRES POUR LA LECTURE

Ce sixième chapitre est la charnière du roman, entre la première partie centrée autour du meurtre de Grandmorin et la deuxième, consacrée à la lente maturation du second crime. Le récit s'intéresse à l'évolution psychologique du couple criminel et à l'analyse de la passion qui unit désormais Jacques et Séverine.

L'évolution psychologique

Le couple criminel se désunit progressivement. On ne saurait parler de remords, mais l'acte qu'ils ont commis ensemble leur inspire une répulsion réciproque. (Zola, dans *Thérèse Raquin*, avait déjà analysé ce type de rapports dans un couple d'amants meurtriers qui, peu à peu, sont conduits à s'entretuer.) Roubaud accepte avec complaisance la liaison de sa femme avec Jacques : « [...] il y avait eu une désorganisation progressive, comme une infiltration du crime, qui décomposait cet homme, et qui avait pourri tout lien entre eux » (p. 239).

L'analyse de la passion

La passion grandit de jour en jour entre Jacques et Séverine. Ils se sentent comme régénérés : « Ils étaient véritablement neufs tous les deux, dans l'enfance de leur cœur, cette innocence étonnée du premier amour » (p. 232) :

– la jeune femme retrouve une nouvelle pureté auprès de Jacques : elle se sent enfin libérée de l'existence « qui avait abusé d'elle, dans la boue, dans le sang » (p. 228) et découvre la passion charnelle ;

– Jacques, de son côté, se croit délivré grâce à Séverine de ses pulsions meurtrières. Mais la raison qu'il s'en donne est des plus troubles et laisse entrevoir une évolution inquiétante de cet équilibre fragile : « Elle l'avait guéri, parce qu'il la voyait autre, [...] couverte du sang d'un homme qui lui faisait comme une cuirasse d'horreur. Elle le dominait, lui qui n'avait pas osé » (p. 228).

La Lison dans la neige

RÉSUMÉ

Le voyage sous la neige (p. 241-257). L'express du vendredi, à bord duquel Séverine est montée, prend au Havre un difficile départ. Sous un ciel de neige, Jacques et son chauffeur conduisent la Lison qui peine de plus en plus et finit par s'arrêter.

L'arrêt (p. 258-273). Le train s'est arrêté au niveau de la Croix-de-Maufras. Tandis que l'on déblaie la voie, les voyageurs se réfugient chez les Misard. Flore surprend un baiser entre Jacques et Séverine, et en conçoit une violente jalousie.

Le train repart (p. 273-276). Inquiet de l'état de la Lison, Jacques reprend néanmoins son poste et l'express repart pour Paris.

REPÈRES POUR LA LECTURE

La scène du train qui devient peu à peu prisonnier de la neige, est l'élément essentiel du chapitre. La précision méticuleuse de la description, dans une première partie, s'appuie sur la topographie du paysage tout au long de la ligne, entre Le Havre et Barentin, et montre les techniciens du rail dans les gestes de leur métier. Mais les lieux traversés se transfigurent bientôt en un paysage fantastique où la nature semble se déchaîner contre les hommes. Le récit prend alors une dimension épique : Jacques est le héros luttant contre les éléments pour sauver la femme aimée.

La précision de la description

Le récit décrit avec précision la topographie du paysage et ses accidents qui rendent de plus en plus problématique l'avance de la machine : la pente plus légère entre Saint-Romain et Bolbec, les côtes et les vallons de Malaunay (p. 247, 251), cette « continuelle succession d'obstacles à franchir » (p. 251).

On suit également les gestes professionnels des deux hommes : Jacques surveille le « cadran du manomètre » dont « l'aiguille est remontée à dix atmosphères » (p. 245) ; pour remonter le niveau d'eau, il doit « faire mouvoir le petit volant de l'injecteur » (p. 245) ; « il s'accroupit devant le volet graisseur du cylindre de droite » (p. 246), et, quand le train est bloqué par la neige, il doit « détacher le cendrier » (p. 255).

Un paysage fantastique

La neige a privé Jacques et Pecqueux de tous leurs repères : « à peine pouvaient-ils, eux pourtant à qui chaque kilomètre de la route était si familier, reconnaître les lieux qu'ils traversaient » (p. 247).

Les forces naturelles les agressent comme autant d'ennemis monstrueux. Jacques discerne soudain « d'immenses formes noires, des masses considérables, comme des morceaux géants de la nuit, qui semblaient se déplacer et venir au-devant de la machine » (p. 247) ; la neige « noie la terre des débris du ciel » (p. 249).

Une dimension épique

Aussi le récit prend-il très vite une dimension épique. Jacques, tel un chevalier devant triompher des épreuves pour prouver son amour, doit lutter contre les éléments déchaînés. « Accroché au flanc de la Lison » (p. 246), « la peau flagellée d'un millier d'aiguilles » (p. 244), il n'a qu'un souci, protéger Séverine : « la pensée de Séverine décuplait la force de sa volonté, tendue toute là-bas [...] au milieu des obstacles qu'il devait franchir » (p. 243).

La fin du chapitre relance le drame. La Lison, qui finira par repartir, a été blessée « d'un coup mortel », comme le cœur de Flore, la fille du garde-barrière, qui surprend Jacques et Séverine en train de s'embrasser et conçoit une haine violente à l'égard de sa rivale. Elle va désormais méditer sa terrible vengeance.

L'aveu

RÉSUMÉ

Le récit de Séverine (p. 277-302). Le train ayant pris beaucoup de retard, Séverine ne repartira pour Le Havre que le lendemain et passera la nuit avec Jacques dans la chambre de l'impasse d'Amsterdam. Les deux amants s'adonnent à leur passion, et Séverine, entraînée par les souvenirs qui lui reviennent de la scène qu'elle a eue dans cette même chambre avec Roubaud, lui raconte les brutalités de ce dernier, et le crime qu'il l'a obligée à commettre avec lui. Jacques, pris d'une curiosité morbide, l'interroge en détail sur le meurtre et les sensations qu'il lui a procurées. Ses instincts se réveillent au point qu'il doit quitter la chambre pour éviter d'égorger sa maîtresse.

La bête fauve (p. 302-309). Jacques, repris par sa folie meurtrière, erre dans les rues à la recherche d'une victime, mais il se reprend à temps et retrouve Séverine avec laquelle il repart pour Le Havre.

REPÈRES POUR LA LECTURE

Une fois de plus, Zola, fidèle à la théorie naturaliste, démontre l'influence déterminante du lieu sur les personnages : ici, il s'agit de la chambre de l'impasse d'Amsterdam, où avait été décidé l'assassinat du président Grandmorin, meurtre dont le récit, chargé d'images de violence, réveille les instincts meurtriers de Jacques.

L'influence déterminante du lieu

Le lieu et les souvenirs qu'il évoque vont pousser la jeune femme à se libérer de cet aveu qui la tourmente. La chambre joue ici un rôle maléfique comme, plus tard, la maison de la Croix-de-Maufras où s'accomplira le destin des amants. Comme un signe des violences passées et à venir, « la tache ronde, au plafond, s'élargissait, semblait s'étendre comme une tache de sang [...] » (p. 284).

Le lit, « drapé de cotonnade rouge » (p. 279), est celui où, dans sa crise de violence jalouse, Roubaud bouscule Séverine. Mais il préfigure aussi le lit où elle sera étendue, après avoir été égorgée par Jacques.

La vue nocturne de la gare, qui renvoie également au premier chapitre, se charge de signes symboliques : « Séverine regarde apparaître le direct du Havre, rampant et sombre », dont « les trois feux arrière ensanglantaient la neige » (p. 280).

Les images de violence

Le long récit de Séverine s'attarde complaisamment sur le meurtre de Grandmorin : « [...] je me suis jetée sur les jambes de l'homme qui se débattait. Et [...] j'ai tout senti : le choc du couteau dans la gorge, la longue secousse du corps, la mort qui est venue en trois hoquets [...] » (p. 294). Le récit réveille peu à peu la curiosité morbide de Jacques qui, « repris de la curiosité du meurtre » (p. 297), l'assaille de questions : « Et alors, le couteau, tu as senti le couteau entrer ? » (p. 297).

Incapable de dormir, il revoit toute la nuit « le meurtre, détail à détail, [...] la vie qui s'en allait en un flot de sang tiède, un flot rouge qu'il croyait sentir lui couler sur les mains » (p. 299). Séverine, avec son aveu, vient d'infléchir son propre destin. L'union d'Éros et de Thanatos[1] est désormais scellée.

1. Mots grecs signifiant « amour » et « mort ».

CHAPITRE IX (pages 311 à 348)

De la déchéance à la haine

RÉSUMÉ

La déchéance de Roubaud (p. 311-322). Roubaud se laisse aller à des habitudes de paresse et de jeu, et son service s'en ressent. Il puise dans l'argent du crime pour payer ses dettes et déserte de plus en plus le domicile conjugal. Séverine et lui ont une scène violente.

Querelles de voisinage (p. 322-326). Séverine reconquiert le logement qu'elle disputait aux Lebleu afin de recevoir tranquillement son amant.

Jacques évite Séverine (p. 326-332). Depuis la terrible nuit passée dans la chambre de la rue d'Amsterdam, Jacques évite sa maîtresse, différant ou espaçant les rendez-vous, car il se sent repris du vertige criminel qu'il n'oublie que sur sa machine.

Le meurtre est décidé (p. 332-340). Séverine ressent pour son mari une profonde haine. Il est l'obstacle à sa liberté et à son bonheur. Elle persuade Jacques de le tuer.

L'échec de Jacques (p. 340-345). Les deux amants guettent dans la nuit Roubaud qui fait sa ronde mais, au dernier moment, Jacques ne peut se décider à frapper.

La gêne grandit entre les amants (p. 345-348). Sentant Séverine déçue de ce qu'elle considère comme une lâcheté de sa part, Jacques lui promet de recommencer.

REPÈRES POUR LA LECTURE

L'étude clinique de la déchéance de Roubaud

L'ancien sous-chef de gare compétent et consciencieux que l'on a vu en action au chapitre II, s'acquitte de plus en plus mal de son service. Il a perdu sa « ponctualité d'ouvrier modèle » et relâche sa vigilance. C'est qu'il boit et joue, comme pour oublier son crime. Il est amené à voler l'argent pris sur le corps du président Grandmorin. « Un malaise lui hérissait la chair, lorsqu'il songeait à cet argent sacré auquel il s'était promis de ne toucher jamais [...] Il n'aurait pu dire comment s'en étaient allés ses scrupules, dans la lente fermentation du meurtre [...] » (p. 314). Séverine, qui l'a surpris, éprouve pour lui un violent mépris : « Tu étais un honnête homme pourtant [...] Comment peux-tu être descendu si bas ? » (p. 318).

Dans *L'Assommoir*, on trouve une étude similaire de la dégradation progressive d'une personnalité, avec l'installation de la paresse et de l'alcoolisme chez Coupeau.

La gêne qui s'installe entre les amants

Séverine éprouve désormais dégoût et horreur pour ce mari complaisant. Il lui apparaît comme un obstacle à ses libres rencontres avec Jacques. Mais ce dernier reculera au dernier moment devant le crime.

L'étude de l'évolution des sentiments de Séverine fait apparaître l'égoïsme foncier de la jeune femme, son inconscience et une totale amoralité : « pourquoi donc ne mourrait-il pas, puisqu'elle ne l'aimait plus, et qu'il gênait tout le monde, maintenant ? » (p. 333).

Un long passage en focalisation interne analyse le débat qui se livre en Jacques et les justifications qu'il se donne. Après un sursaut moral (« en lui l'homme civilisé se révoltait, la force acquise de l'éducation [...] », p. 339), il se laisse vite convaincre par Séverine. Ce crime pourra peut-être le délivrer définitivement de ses obsessions : « Peut-être assouvirait-il son besoin de meurtre » (p. 337).

Le lexique de la bestialité revient encore une fois à son propos. Il espère éviter à jamais « cet éveil farouche de l'ancien mâle, emportant à son cou les femelles éventrées [...] ». Il invoque, pour se décider, la loi sauvage : « Est-ce que dans les bois, si deux loups se rencontrent, lorsqu'une louve est là, le plus solide ne se débarrasse pas de l'autre, d'un coup de gueule ? » (p. 338).

Mais sa reculade au dernier moment et son échec déçoivent Séverine qui s'éloigne de lui : « C'était l'acte irréalisé, l'acte voulu, consenti par eux deux, qu'il n'accomplissait pas et dont la pensée, désormais, mettait entre eux un malaise, un mur infranchissable » (p. 348).

L'accident provoqué

RÉSUMÉ

Après la mort de Phasie (p. 348-354). À la Croix-de-Maufras, Phasie est morte empoisonnée et Misard cherche en vain l'argent qu'elle a caché. Flore, dévorée de jalousie, guette les trains qui emportent Jacques et Séverine.

La vengeance de Flore (p. 354-360). Flore décide d'enlever un rail afin de provoquer le déraillement de l'express du vendredi, que conduit Jacques et à bord duquel se trouve Séverine. Dans le tunnel où elle s'engage pour aller repérer le terrain, désorientée par l'obscurité, elle est prise d'une sorte de vertige et risque de se faire broyer par les trains qui s'y engouffrent.

L'attente (p. 360-365). Dès le lever du jour, Flore surveille la voie d'heure en heure et se prépare à aller enlever les rails, lorsque Cabuche arrive avec son lourd fardier traîné par cinq chevaux. Elle décide d'utiliser cette lourde masse pour faire obstacle au train et, avec sa force herculéenne, y parvient.

L'accident (p. 365-370). Flore, avec une force incroyable, réussit à engager le fardier sur la voie, et le train vient s'y écraser à toute vitesse sans que Jacques ni Misard puissent la freiner à temps. Sept wagons sont broyés, et la Lison, éventrée, agonise.

Bilan et premiers secours (p. 370-381). Tandis que les blessés hurlent, que l'on dégage les cadavres et que les passagers, pris de panique, se ruent au-dehors, Séverine, indemne, aidée de Pecqueux et de Flore, dégage Jacques de sa machine. Quand il reprend conscience, indifférent aux deux femmes, il assiste avec douleur à la mort de la Lison. Les secours arrivent peu à peu.

Le suicide de Flore (p. 381-387). Jacques repousse Flore avec horreur : il l'a vu faire dérailler le train. Comprenant qu'elle a tué pour rien, puisque Séverine est sauve, Flore se sauve et erre dans la nuit jusqu'au tunnel où elle se jette sous un train qui la broie. On ramasse son corps qui sera placé à côté de celui de sa mère, tandis que d'autres trains passent, indifférents au drame.

REPÈRES POUR LA LECTURE

Dans ce chapitre, les morts s'accumulent : celle de Phasie, celle des victimes de l'accident, celle de La Lison, et le suicide de Flore.

La lente préparation de l'acte de Flore est l'objet d'une analyse en focalisation interne. La scène de l'accident du train est décrite avec un art consommé du suspense, tandis que le grandissement épique transfigure Flore en héroïne légendaire, et la Lison en géante éventrée.

L'analyse en focalisation interne

Elle permet de suivre la montée de la haine et l'exaspération de la jalousie de Flore : « Elle ne vivait plus, dans une torture jalouse, que pour les guetter [...] » (p. 354).

On voit naître et s'élaborer son projet meurtrier : « Puisqu'il ne restait personne qui l'aimât, les autres pouvaient bien partir avec sa mère » (p. 359). Désormais, « reconquise tout entière par l'idée qui lui avait planté son clou dans le crâne [...] », elle laisse libre cours à son obsession criminelle : « Elle ne raisonnait pas, elle obéissait à l'instinct sauvage de détruire [...] » (p. 355).

Pendant de longues pages, le récit, toujours en focalisation interne, détaille les étapes de sa réflexion et les différents projets qu'elle ébauche, jusqu'au choix final : « Décidée après ce long débat, elle discuta le meilleur moyen de mettre son projet à exécution » (p. 359).

L'art du suspense

C'est avec un art consommé du suspense qu'est conduit le récit de l'accident : « L'inévitable était là, rien au monde ne pouvait plus empêcher l'écrasement. Et l'attente durait » (p. 365).

Le choc, pourtant extrêmement bref, est comme dilaté par un procédé analogue au ralenti cinématographique : « Ce furent à peine dix secondes d'une terreur sans fin [...] » (p. 365). Car la vision de l'accident, décrit sous différents points de vue, est démultipliée ; ces points de vue successifs sont :

– le point de vue de Flore seule : « elle, immobile, [...] les paupières élargies et brûlantes, regardait » (p. 365) ; « elle vit nettement Jacques » (p. 366) ;
– le point de vue de Flore et des autres témoins : « Au bord de la voie où l'épouvante les clouait, Misard et Cabuche, Flore [...] virent cette chose effrayante [...] » (p. 368) ;
– le point de vue extérieur d'un narrateur qui décrit les personnages figés dans des attitudes de panique, comme si un « arrêt sur image » s'était produit : « Misard et Cabuche, les bras en l'air, Flore, les yeux béants [...] » (p. 368) ;
– le point de vue du chauffeur Pecqueux : « Pecqueux, qui avait haussé la tige du cendrier, venait de voir [...] » (p. 367) ;
– enfin, le point de vue de Jacques : « Il s'était tourné, leurs yeux se rencontrèrent » (p. 366) ; « Jacques, à ce moment suprême, regardait sans voir » (p. 367) ; « Jacques [...] vit tout, comprit tout » ; « il distingua jusqu'au grain des deux pierres » (p. 368).

Le grandissement épique

Il transfigure Flore en héroïne de légende et la Lison en un être vivant gigantesque. Flore n'est pas simplement une jeune fille ivre de jalousie. C'est une guerrière, d'une force surhumaine, « qui avait sa légende, dont on racontait des traits de force extraordinaires » (p. 365). Après l'accident, elle dégage Jacques des débris de sa machine « de ses bras de guerrière » (p. 374). Le spectacle qu'elle donne est d'une terrible beauté : « Avec ses cheveux blonds envolés, son corsage arraché qui montrait ses bras nus, elle était comme une terrible faucheuse s'ouvrant une trouée parmi la destruction qu'elle avait faite » (p. 376). Sa marche au-devant du train qui la broiera est tout aussi impressionnante : « elle avait le besoin de mourir toute droite, par son instinct de vierge et de guerrière [...] redressée dans sa haute taille souple de statue, balancée sur ses fortes jambes, elle avançait » (p. 385).

La Lison est également décrite comme un être gigantesque : elle a, dans son agonie, « des râles furieux de géante » (p. 369), et sa dépouille est celle d'« un colosse broyé » (p. 377 ; voir Lecture méthodique n° 4, p. 114).

CHAPITRE XI (pages 389 à 421)

Le deuxième crime

RÉSUMÉ

La convalescence de Jacques (p. 389-399). Dans la maison de la Croix-de-Maufras, Jacques, soigné par Séverine, se remet de ses blessures. Séverine lui apprend la mort de Flore. Misard continue à chercher le magot de Phasie, sans aucun remords, ce qui frappe Jacques, qui l'observe chaque jour.

Séverine rassure Jacques, jaloux des hommes qui la poursuivent : bien que leur avenir soit bouché, elle n'appartiendra jamais qu'à lui (p. 399-405). Ils projettent de tuer Roubaud en l'attirant dans la maison (p. 405-409).

L'attente (p. 409-416). Conformément à leur plan, Séverine a attiré Roubaud, qui doit arriver. Les amants l'attendent dans la chambre obscure. Mais Séverine s'est déshabillée, elle a allumé la lumière et Jacques, terrifié de sentir le retour de sa pulsion meurtrière, tente éperdument d'éviter ses caresses.

Le meurtre (p. 416-419). Jacques a saisi le couteau et, au moment où Séverine s'approche de lui en demandant un baiser, il la poignarde après une courte lutte. En reprenant conscience, Jacques, horrifié par son crime, s'échappe dans la nuit au moment où passait Cabuche. Celui-ci découvre le cadavre sanglant de Séverine qu'il prend dans ses bras. Roubaud et Misard le surprennent, hébété (p. 419-421).

REPÈRES POUR LA LECTURE

Le triple déterminisme de l'hérédité, du lieu et des circonstances qui pèse sur Jacques, va le pousser jusqu'à ce crime qu'il redoutait de commettre. Une scène sanglante se déroule alors où s'accomplit le destin des amants.

Un triple déterminisme

Celui de la *tare héréditaire* : Jacques est chassé de son propre corps « sous le galop de l'autre, la bête envahissante » (p. 416). Éros et Thanatos sont enfin réunis : « La porte d'épouvante s'ouvrait sur le gouffre noir du sexe, l'amour jusque dans la mort [...] » (p. 417).

Celui des *circonstances* : Jacques a trop longtemps résisté à ses démons ; il a vu Misard sans remords après son crime ; il a vu Flore tuant par amour ; enfin, la longue attente de l'arrivée de Roubaud a exaspéré ses nerfs : « Et il continuait d'attendre l'homme, battant la chambre, de la porte à la fenêtre, passant à chaque tour près du lit, qu'il ne voulait point voir » (p. 413).

Celui du *lieu* : c'est la maison porte-malheur, qui le hantait depuis longtemps, « comme si elle se dressait à cette place pour le malheur de son existence » (p. 390) ; c'est la chambre de Grandmorin, « pleine du souvenir de ses violences » ; c'est la lampe qui y éclaire la nudité de Séverine et réveille les pulsions meurtrières de Jacques.

Une scène sanglante

Le récit n'économise ni les effets de suspense ni les détails horribles. La description du meurtre, qui choqua le public délicat, devait en revanche satisfaire les amateurs d'émotions fortes, lecteurs des feuilletons illustrés en vogue à l'époque de Zola : « lui, voyant cette chair blanche, [...] leva son couteau [...] il abattit le poing, et le couteau lui cloua la question dans la gorge » (p. 417).

Le lexique met en valeur la dominante sanglante. Le crime semble appelé par la chambre et s'inscrit dans un décor où le rouge domine : « Au milieu de ces tentures rouges, de ces rideaux rouges, par terre, elle saignait beaucoup, d'un flot rouge qui ruisselait entre les seins, s'épanchait sur le ventre, jusqu'à une cuisse [...] » (p. 417).

Le destin a finalement réuni les deux meurtres, celui de Grandmorin et celui de Séverine : « Les deux meurtres s'étaient rejoints, l'un n'était-il pas la logique de l'autre ? » (p. 419). En effet, c'est en voulant acheter le silence de Jacques que Séverine est amenée à devenir sa maîtresse, et à attirer involontairement sur elle-même ses pulsions criminelles.

Le train fou

RÉSUMÉ

Jacques et Pecqueux (p. 423-431). Le coupable du meurtre de Séverine n'a toujours pas été découvert. Jacques a repris son travail. Il est devenu l'amant de Philomène, maîtresse de Pecqueux. Les rapports entre les deux hommes se dégradent.

L'instruction (p. 431-441). Le juge Denizet a fait arrêter Roubaud et Cabuche comme complices : Roubaud, par intérêt pour l'héritage de Séverine, aurait poussé Cabuche à l'assassiner. D'ailleurs, on a trouvé chez ce dernier une preuve, la montre de Grandmorin. Roubaud proteste en vain de son innocence. Camy-Lamotte, bien qu'il sache la vérité pour le premier crime, ne détrompe pas Denizet : il faut, en cette période délicate pour l'Empire, continuer à préserver la mémoire de Grandmorin.

Le procès (p. 441-452). À Rouen, le procès fait grand bruit. Roubaud continue à nier sa culpabilité pour le second crime et finit par avouer le premier, mais il n'est pas cru. Cabuche et lui sont condamnés aux travaux forcés.

Le train fou (p.452-456). Jacques, qui se croyait guéri par son crime, sent remonter en lui sa folie. Il fuit les femmes et se réfugie sur sa nouvelle machine. Un soir, il prend son service avec Pecqueux à bord d'un énorme train chargé de soldats que l'on envoie au front. Ivre, Pecqueux provoque Jacques : les deux hommes luttent sur la passerelle et tombent ensemble sur la voie où ils sont broyés par les roues pendant que le train fou continue sa course dans la nuit.

REPÈRES POUR LA LECTURE

Dans ce dernier chapitre, Zola reprend la satire de la justice entamée aux chapitres IV et V. Le roman s'achève sur une terrible scène symbolique, où s'exprime tout le pessimisme de Zola.

La satire de la justice

L'enquête et le procès sont, une fois encore, faussés par la raison d'État. Avec ironie, Zola montre la « certitude de raisonnement » triomphante de Denizet et la « force d'évidence » (p. 435) avec laquelle il s'acharne à nouveau sur l'innocent Cabuche : le juge « raffin[e] sur la psychologie de l'affaire » (p. 440) et le public admire « cette profondeur de psychologie criminelle » (p. 436). Les preuves forment « un ensemble écrasant », la « certitude éclat[e] éblouissante comme la lumière du soleil » (p. 440). La vérité n'est jamais prise en compte, parce qu'elle dérangerait : « [...] plus Roubaud s'entêta à la dire, cette vérité, plus il fut convaincu de mensonge » (p. 439). Camy-Lamotte laisse commettre sciemment une erreur judiciaire : « le scandale allait être enterré avec le système du juge. [...] la mémoire du président serait lavée de soupçons abominables, l'Empire bénéficierait de cette réhabilitation tapageuse d'une de ses créatures » (p. 442).

Une fin pessimiste

La mort de Jacques confirme que leur tare héréditaire ne laisse aucune chance à ceux qui en sont atteints. Le cycle des *Rougon-Macquart* touche lui aussi à sa fin, et l'avant-dernier roman de la série, *La Débâcle*, racontera Sedan et l'écroulement du régime.

Par ailleurs, il faut voir dans la course folle du train privé de chauffeur, emportant vers la mort des soldats partant au front, « la représentation épique de l'instinct de mort[1] », aveugle et incontrôlable, malgré la marche du progrès (voir Lecture méthodique n° 5, p. 120).

---

1. Gilles Deleuze, Préface de *La Bête humaine*, Éd. Gallimard, « Folio ».

DEUXIÈME PARTIE

Problématiques essentielles

1 *La Bête humaine* dans l'œuvre de Zola

En 1890, lorsque paraît *La Bête humaine*, Zola a cinquante ans. Il est reconnu comme le chef incontesté du mouvement naturaliste (voir « Qu'est-ce que le naturalisme ? », p. 82).

La Bête humaine est le dix-septième roman de la série des *Rougon-Macquart*, « Histoire naturelle et sociale d'une famille sous le Second Empire », qui devait en compter vingt. Cette série a commencé en 1869-1870 avec *La Fortune des Rougon* et s'achèvera en 1893 avec *Le Docteur Pascal*, qui fait le bilan de l'histoire de la famille et le point sur la thèse qui a présidé à la construction de l'ensemble.

DE LA PUBLICITÉ À LA LITTÉRATURE

Né à Paris le 2 avril 1840, fils d'un ingénieur italien, Zola passe sa jeunesse en Provence. Au collège d'Aix où il est en pension, il se lie avec Cézanne, le futur peintre, avec lequel il gardera longtemps des liens affectueux jusqu'au moment où Cézanne, croyant se reconnaître dans le personnage de Claude Lantier, le peintre névrosé que Zola met en scène dans son roman *L'Œuvre* (1886), se brouille avec son ami.

Après la mort de son père, Zola quitte la Provence pour Paris, où il arrive avec sa mère en 1858. Leur situation financière est très précaire. Boursier à Louis-le-Grand, il échoue au baccalauréat, abandonne ses études et doit gagner sa vie. Il est d'abord commis aux douanes, puis employé chez Hachette, où il devient chef du service de la publicité.

Cependant, il commence à écrire : d'abord des articles de journaux, puis, encouragé par les frères Goncourt, ses premières œuvres littéraires : les *Contes à Ninon* (1864) et *La Confession de Claude* (1865). Après avoir quitté la librairie Hachette, il va vivre de sa plume et publier des ouvrages de critique littéraire et artistique : *Mes haines* et *Mon salon* (1866), où il prend la défense du peintre Manet accusé d'indécence et de mauvais goût. Toute sa vie, Zola suivra de près les recherches des peintres impressionnistes, dont la première exposition a lieu en 1874, et les soutiendra fidèlement. Les premières pages de *La Bête humaine* sont d'ailleurs la transposition littéraire des tableaux que Monet fit de la gare Saint-lazare (voir Lecture méthodique n° 1, p. 96).

Ne négligeant aucun moyen de diffusion – leçon qu'il a retenue de son passage dans la publicité – Zola publie en 1867 un roman-feuilleton, *Les Mystères de Marseille*, et son premier roman à succès, *Thérèse Raquin*, dont la préface établit déjà les principes du roman expérimental. Après *Madeleine Férat* (1868), il conçoit le projet du vaste ensemble romanesque des *Rougon-Macquart*. La préface du premier roman du cycle, *La Fortune des Rougon*, définit le projet et la méthode du romancier.

LE ROMANCIER NATURALISTE

C'est avec *L'Assommoir*, qui paraît en 1877, que Zola devient célèbre. Ce roman, qui traite de la misère ouvrière et des ravages de l'alcoolisme, met en scène Gervaise Macquart et son amant Auguste Lantier, dont descendra Jacques, le héros de *La Bête humaine* (voir p. 42-44). L'année suivante, Zola achète une propriété à Médan, en Seine-et-Oise, où il réunit ses amis et disciples naturalistes, qui publient un recueil collectif, *Les Soirées de Médan*.

D'autres romans à succès paraissent ensuite : *Au Bonheur des Dames* (1883), *Germinal* (1885), *L'Œuvre* (1886), *La Terre* (1887) dont la crudité déclenche un scandale et provoque la scission du groupe naturaliste : quelques disciples, dans *Le Manifeste des cinq*, se désolidarisent de Zola.

Cependant le romancier entend rester fidèle à son propos de restituer le réel sans l'édulcorer, même lorsque celui-ci se présente sous forme violente ou sordide : c'est ainsi que, dans son roman

La Bête humaine, qui paraît en 1890, il choisit d'étudier un cas de névrose criminelle et de construire son intrigue autour d'une série de crimes décrits avec la plus grande crudité (voir « *La Bête humaine*, roman du crime », p. 65). Une large part de la critique se déchaînera contre ces audaces considérées comme de la provocation malsaine et le comble du mauvais goût.

L'ÉCRIVAIN ENGAGÉ

Zola qui, dans *La Bête humaine*, dénonçait une justice truquée pour raison d'État, ne savait pas encore que, sept ans plus tard, il s'engagerait très courageusement dans l'affaire Dreyfus. Il prend en effet parti pour l'officier injustement accusé de trahison, dans une lettre ouverte intitulée « J'accuse ! » adressée au président Félix Faure et publiée le 13 janvier 1898 dans *L'Aurore*. Il y dénonce le complot antisémite dont est victime le capitaine Dreyfus. Il paiera chèrement son courage : on lui intente un procès, on le couvre d'insultes et il doit s'exiler en Angleterre pendant un an.

L'écrivain meurt asphyxié dans la nuit du 28 au 29 septembre 1902. Due à un feu de cheminée, il est possible que sa mort n'ait pas été accidentelle. En 1908, les cendres de Zola seront transférées au Panthéon.

2 Le contexte du roman

LA SÉRIE DES *ROUGON-MACQUART*

Composé par Zola entre 1870 et 1893, le cycle des *Rougon-Macquart*, dont fait partie *La Bête humaine*, est constitué de vingt volumes publiés au rythme d'un titre par an environ. Zola s'est inspiré de *La Comédie humaine* de Balzac, entreprise dès 1842, vaste ensemble romanesque qui rassemble des personnages appartenant aux milieux les plus divers de la société du Premier Empire et de la Restauration, et dont plusieurs se retrouvent d'un roman à l'autre.

La série des *Rougon-Macquart* se présente comme l'« Histoire naturelle et sociale d'une famille sous le Second Empire ». Ce vaste ensemble illustre les principes et les méthodes du naturalisme (voir « *La Bête humaine*, un roman naturaliste », p. 84). Dans la Préface de *La Fortune des Rougon* (1870), le premier roman du cycle, Zola annonce clairement son propos : « Je veux expliquer comment une famille, un petit groupe d'êtres, se comporte dans une société en s'épanouissant pour donner naissance à dix, vingt individus qui paraissent, au premier coup d'œil, profondément dissemblables, mais que l'analyse montre intimement liés les uns aux autres. Je tâcherai de suivre, en résolvant la double question des tempéraments et des milieux, le fil qui conduit mathématiquement d'un homme à un autre homme. »

HISTOIRE D'UNE FAMILLE ET HISTOIRE D'UN RÉGIME

Histoire d'une famille, la fresque des *Rougon-Macquart* est aussi celle d'un régime et d'une société :

– l'*histoire de la famille* se déroule à travers les destins individuels de cinq générations qui évoluent, en province comme à Paris, dans les milieux les plus divers (finance, politique, diplomatie, petit et grand commerce, art, monde ouvrier...) et dont chacun constitue la toile de fond et le sujet d'un roman ;

– l'*histoire du régime* et de la société raconte le Second Empire, depuis le coup d'État du 2 décembre 1851 jusqu'au désastre de Sedan, qui devait marquer la défaite de la France devant la Prusse et entraîner la chute de Napoléon III (voir tableau ci-contre).

« Historiquement, ils [les Rougon-Macquart] partent du peuple, ils s'irradient dans toute la société contemporaine, ils montent à toutes les situations, par cette impulsion essentiellement moderne que reçoivent les basses classes en marche à travers le corps social, et ils racontent ainsi le Second Empire à l'aide de leurs drames individuels, du guet-apens du coup d'État à la trahison de Sedan » (Préface de *La Fortune des Rougon*).

TARE HÉRÉDITAIRE ET CORRUPTION DU RÉGIME POLITIQUE

Zola établit un parallèle entre la tare héréditaire et la corruption du régime de Napoléon III :

– la *tare héréditaire* affecte, dès l'origine et sous des formes différentes – alcoolisme, névrose criminelle, perversion, folie –, la plupart des membres de la famille des Rougon-Macquart ;

– le *régime du Second Empire* est corrompu ; fondé sur l'illégalité du coup d'État du 2 décembre 1851, vicié dans ses principes et son fonctionnement, il est promis à la déchéance.

Le docteur Pascal, héros du roman qui conclut la série, et porte-parole du romancier, établit nettement ce rapport : « Quelle masse effroyable remuée, que de souffrances jetées à la pelle, dans cet amas colossal de faits !... Il y a de l'histoire pure, l'Empire fondé dans le sang, d'abord jouisseur [...] puis glissant à une désorganisation lente. » Cependant, *Le Docteur Pascal* et le cycle s'achèvent sur l'image d'une mère allaitant son enfant, message d'espoir en l'avenir, « image du monde continué et sauvé ».

Date de parution	Romans	Milieux décrits[1]	Période ou faits historiques évoqués[2]
1870	*La Fortune des Rougon*	Paysans enrichis	Coup d'État du 2 décembre 1851
1871	*La Curée*	Monde des affaires	
1873	*Le Ventre de Paris*	Petits commerçants des Halles	1857 : construction des Halles
1874	*La Conquête de Plassans*	Ecclésiastiques, petite bourgeoisie	
1875	*La Faute de l'abbé Mouret*	Ecclésiastiques	
1876	*Son Excellence Eugène Rougon*	Diplomatie	1853 : début des travaux d'Haussman dans Paris
1877	*L'Assommoir*	Ouvriers	
1878	*Une page d'amour*	Petite bourgeoisie	
1880	*Nana*	Demi-mondaines	
1882	*Pot-Bouille*	Petite bourgeoisie Petit commerce	
1883	*Au Bonheur des Dames*	Commerce	Création des Grands Magasins (1852 : *Le Bon Marché*)
1884	*La Joie de vivre*		
1885	*Germinal*	Ouvriers mineurs	1866 : grève des mineurs d'Anzin
1886	*L'Œuvre*	Artistes	
1887	*La Terre*	Paysans	
1888	*Le Rêve*	Petits artisans	
1890	*La Bête humaine*	Cheminots, justice	Fin du Second Empire
1891	*L'Argent*	Milieu boursier	1867 : faillite des frères Pereire
1892	*La Débâcle*	Armée, politique	Guerre avec la Prusse 1870 : Sedan
1893	*Le Docteur Pascal*	Médecine	

1. Il s'agit du milieu constituant le thème principal de l'étude dans le roman. Bien entendu, dans la même œuvre, se croisent des personnages appartenant à des milieux différents.
2. Certains événements historiques sont évoqués directement et datés. D'autres, surtout d'ordre social et économique, et s'étendant sur une plus large période (essor des grands magasins, construction des gares, travaux du baron Haussmann), sont transposés par le romancier.

LA PLACE DE *LA BÊTE HUMAINE* DANS LA SÉRIE

Deux romans en un seul

En 1890, il reste à Zola quatre romans à écrire sur les vingt qu'il s'est fixés comme limite. Trois sujets sont déjà et depuis longtemps retenus : la Bourse (ce sera *L'Argent*, en 1891), l'armée (*La Débâcle*, en 1892) et l'idée d'un roman « scientifique », comme il l'appelle, qui sera la justification et la conclusion de tout l'ensemble : *Le Docteur Pascal* (1893). Il a également projeté d'étudier le milieu judiciaire, par le biais de l'histoire d'un meurtrier déséquilibré, et il ne veut pas non plus ignorer le monde nouveau des cheminots, ni ces trains qui le fascinent et qu'il voit passer continuellement depuis sa propriété de Médan, au bord de la ligne de l'Ouest.

Zola se décide alors à fondre en une seule intrigue les deux sujets : *La Bête humaine* sera à la fois le « roman du crime » et le « roman du rail ». Cette synthèse des deux thèmes, loin de paraître artificielle et de nuire à l'unité dramatique de l'œuvre, la soutient en une fusion si parfaite que l'un semble le contrepoint symbolique de l'autre.

Qui sera le meurtrier ?

C'est à la branche bâtarde des Macquart qu'appartiendra le futur criminel, alors que la « branche Rougon » échappe, sinon à l'hérédité de la folie qu'elle détourne en appétit de pouvoir et de richesses, du moins à celle de l'ivrognerie. Car, dans la « branche Macquart », circule cette sève pernicieuse, l'alcoolisme, qui a déjà atteint et détruit l'héroïne de *L'Assommoir*, Gervaise, et deux de ses trois enfants : un des fils qu'elle a eus de son amant Lantier, Claude, le peintre génial et déséquilibré qui se suicide à la fin de *L'Œuvre* et Anna, dite Nana, la fille de Gervaise et de son mari alcoolique Coupeau, qui tourne la tare familiale en « état de vice[1] » et meurt rongée par la débauche dans *Nana*. Quant au second fils de Gervaise et de Lantier, Étienne, le héros de la lutte des mineurs dans *Germinal*,

1. L'expression est de Zola et figure sur l'arbre généalogique.

en faire soudain un meurtrier déséquilibré semblerait une transformation peu crédible : les résurgences de la folie héréditaire n'attendent pas si longtemps pour se manifester dans les individus.

Plus soucieux de la cohérence de ses personnages que des contraintes d'une généalogie toute romanesque, Zola choisit alors de donner à Gervaise un autre fils, Jacques Lantier, et d'adjoindre, en 1893, au dernier roman, *Le Docteur Pascal*, un arbre généalogique remanié[1].

Arbre généalogique des Rougon-Macquart : branche de Gervaise

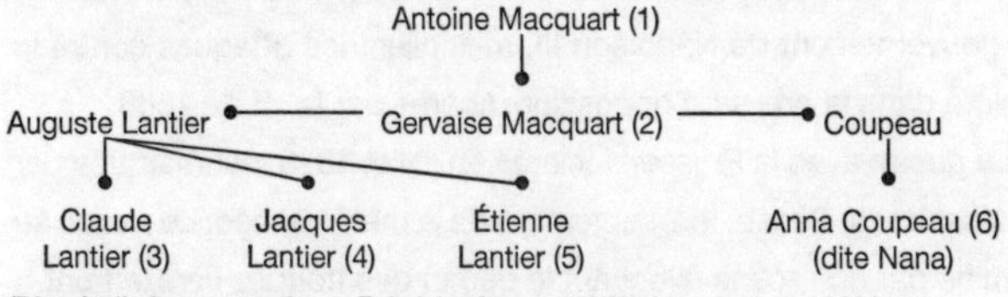

(D'après l'arbre construit par Zola lui-même en 1878 et remanié en 1893.)

Personnages de l'arbre généalogique remanié par Zola

(1) Antoine Macquart : Né en 1789. Soldat en 1809. Marié à Joséphine Gavaudan, vigoureuse mais intempérante. Hérédité de l'ivrognerie de père en fils. Meurt alcoolique.

(2) Gervaise Macquart : Héroïne de *L'Assommoir*. Blanchisseuse. A trois fils de son amant, Lantier, avec lequel elle se sauve à Paris et qui l'abandonne. Épouse en 1852 un ouvrier, Coupeau, dont elle a une fille. Boiteuse. Meurt de misère et d'excès alcooliques en 1870.

(3) Claude Lantier : Héros de *L'Œuvre*. Né en 1842. Prépondérance morale et ressemblance physique avec la mère. Hérédité d'une névrose se tournant en génie. Peintre.

(4) Jacques Lantier : Héros de *La Bête humaine*. Né en 1844. Meurt en 1870, d'un accident. Hérédité de l'alcoolisme se tournant en folie homicide. État de crime. Mécanicien.

(5) Étienne Lantier : Héros de *Germinal*. Né en 1846. Mineur. Vit « encore » à Nouméa. Marié, là-bas, dit-on, et a des enfants qu'on ne peut classer.

---

1. *Le Docteur Pascal,* édition de la Pléiade, tome V, p. 101.

(6) Anna Coupeau (dite Nana) : Née en 1852. A en 1867, d'un inconnu, un enfant qu'elle perd en 1870. Hérédité de l'alcoolisme se tournant en perversion morale et physique. « État de vice ».

LE CONTEXTE HISTORIQUE DE *LA BÊTE HUMAINE*

La vie politique

L'action se déroule entre l'hiver 1869 et l'été 1870. La fin du Second Empire approche. Les républicains, hostiles à la personne et au gouvernement de Napoléon III, multiplient les attaques contre le régime dans la presse d'opposition, libérée par la loi de 1868.

La guerre avec la Prusse, déclarée en juillet 1870, est marquée par le désastre de Sedan, le 2 septembre de la même année. Le roman se termine par une scène évoquant le départ des troupes vers le front.

Les chemins de fer

Le réseau ferroviaire, depuis l'ouverture en 1837 de la première ligne Paris-Saint-Germain et, en 1847, de la ligne de l'Ouest (celle du roman), reliant Le Havre et Rouen à Paris, s'est considérablement étendu sous le Second Empire. La vitesse des trains s'est sensiblement accrue depuis les origines. À l'ouverture de la ligne de l'Ouest, en 1847, le trajet Paris-Le Havre était effectué en 7 heures pour les trains de voyageurs et en 6 heures 30 pour les trains postaux de nuit.

Or, l'express Paris-Le Havre, en 1869, dans *La Bête humaine*, fait le trajet en 4 heures 35, comme il ressort des indications données aux chapitres V (p. 167), VII (p. 241), et ailleurs (chap. I, II, III, X). On ne peut soupçonner Zola d'avoir adopté des horaires ou des vitesses fantaisistes. D'ailleurs, on sait que, vers la fin du Second Empire, certains trains pouvaient dépasser la vitesse de 100 km/heure, et que l'empereur Napoléon III fit le trajet Lyon-Marseille à cette vitesse.

3 Qui est la « bête humaine » ?

LA QUESTION DU TITRE

« Quant au titre, avoue Zola, il m'a donné beaucoup de mal. Je voulais exprimer cette idée : l'homme des cavernes resté dans l'homme de notre XIXe siècle[1]. »

Les nombreux titres envisagés par le romancier se répartissent autour des thèmes suivants :

– la bestialité : « Le réveil du loup », « Les carnassiers », « Les fauves », « L'homme mangeur de l'homme », etc. ;

– la violence : « Détruire », « La soif de sang », « L'homicide », « Pour le plaisir » ;

– l'hérédité : « Le meurtre ancestral », « Né pour tuer », « L'ancêtre inconnu » ;

– le progrès : « Le monde en marche », « Sous le progrès », « Civilisation ».

Mais, en fait, dès les premières notes de son dossier préparatoire, Zola avait rencontré ce qui devait constituer son titre définitif : « Le chemin de fer comme fond, le progrès qui passe devant la bête humaine déchaînée. [...] C'est le progrès qui passe, allant au XXe siècle[2]. » L'image retenue prolonge et couronne toutes les métaphores animales que l'on rencontre dans les romans antérieurs de Zola, surtout *L'Assommoir*. « La métaphore, écrit P. Bonnefis[3], emprunte à l'animal ce qu'il faut de griffes et de crocs pour illustrer expressivement ce jaillissement de la vie au plus intime de l'homme.

1. Cité par Henri Mitterand, *Les Rougon-Macquart,* Éd. Gallimard, « Bibliothèque de la Pléiade », tome IV, p. 1744.
2. Cité par Henri Mitterand, *Les Rougon-Macquart, op. cit.*
3. « Le bestiaire de Zola », revue *Europe*, 1968.

On reconnaît là le thème de la bête humaine, le plus persistant, le plus central des thèmes, dans la mesure où il rassemble autour de lui, comme de cruelles harmoniques, un faisceau d'images brutales. Tout se résume par l'action conjuguée de la ruse, du rut, de l'appétit et de la violence. »

La pluralité des sens du titre nous conduit naturellement, comme le désirait Zola, à différentes interprétations, non exclusives les unes des autres.

LA BÊTE HUMAINE : JACQUES LANTIER

Ses instincts poussent Jacques Lantier, contre sa volonté, à tuer les femmes qui lui cèdent. Pour lui, l'amour semble ne pouvoir se réaliser pleinement que dans la mort. Les symptômes de son mal lui sont bien connus : « Des morsures de feu, derrière les oreilles, lui trouaient la tête, gagnaient ses bras, ses jambes, le chassaient de son propre corps, sous le galop de l'autre, la bête envahissante » (p. 416). Car il est à la fois bête qui chasse (« Il obéissait à ses muscles, à la bête enragée », p. 85), et bête traquée : sans possibilité de contrôle, il ne peut que fuir (« Il galopa au travers de la campagne noire, comme si la nature déchaînée des épouvantes l'avait poursuivi de ses abois », p. 89). Mais cette fuite est inutile : s'il tentait d'« aller tout droit, plus loin, toujours plus loin, pour se fuir, pour fuir l'autre, la bête enragée qu'il sentait en lui, [...] il l'emportait, elle galopait aussi fort » (p. 89). Il se sent « terrifié de n'être plus lui, de sentir la bête prête à mordre » (p. 326-327), la « bête carnassière » (p. 307).

Dans ses crises, le faciès de Lantier porte les signes de cette « sauvagerie qui le ramenait avec les loups mangeurs de femmes, au fond des bois » (p. 85). « [...] Sa mâchoire inférieure avançait tellement, dans une sorte de coup de gueule, qu'il s'en trouvait défiguré » (p. 414). Lorsque, avec le meurtre de Séverine, l'instinct de mort s'est réalisé, Jacques, dégrisé, se sent comme dédoublé devant le corps de sa victime : « Il entendait un reniflement de bête, grognement de sanglier, rugissement de lion » (p. 418). Il a fini par céder à « l'hérédité de violence, [à] ce besoin de meurtre qui, dans les forêts premières, jetait la bête sur la bête » (p. 419).

LA BÊTE HUMAINE : L'HOMME PRIMITIF

En chacun de nous, plus ou moins étouffé par la civilisation, se tapit un instinct de mort dont l'origine est incertaine ; Jacques, à plusieurs reprises, se pose cette question angoissée : « Cela venait-il donc de si loin, du mal que les femmes avaient fait à sa race, de la rancune amassée de mâle en mâle, depuis la première tromperie au fond des cavernes ? » (p. 86 ; même phrase p. 228 et 416).

Tout se passe en lui comme si cet être primitif, surgi dans les moments de crise d'origine sexuelle, agissait à sa place : « Ce n'était plus lui qui agissait, mais l'autre, celui qu'il avait senti si fréquemment s'agiter au fond de son être, cet inconnu venu de très loin, brûlé de la soif héréditaire du meurtre » (p. 303). Jacques perd le contrôle de ses gestes, de ses mains, « des mains qui lui viendraient d'un autre, des mains léguées par quelque ancêtre, au temps où l'homme, dans les bois, étranglait les bêtes » (p. 300-301). En fait, le mal de Jacques participe de la violence animale, certes, mais aussi de la perversité humaine qui, pour certains êtres déséquilibrés, confond l'acte d'amour et l'acte de mort : « Posséder, tuer, cela s'équivalait-il, dans le fond sombre de la bête humaine ? » (p. 232). « Ainsi, écrit J. Borie, l'accomplissement de la virilité consiste à rejoindre un ancêtre et à le retrouver en soi, dans la violence assumée d'une pulsion héréditaire[1]. »

Dès *Le Roman expérimental*, Zola avait dénoncé ce fond d'animalité présent en tout homme : « Le terrible est que nous arrivions tout de suite à la bête humaine, sous l'habit noir comme sous la blouse. En haut, en bas, nous nous heurtons à la brute. » Et voici que, presque au terme de la série des *Rougon-Macquart*, il a décidé de fondre en un seul personnage les deux hérédités : celle de la tare familiale, qui trouve chez Jacques sa plus horrible expression, et l'atavisme primitif qui la double et peut-être en accentue les effets.

1. J. Borie, *Zola et les mythes*, Éd. du Seuil, p. 46.

LES BÊTES HUMAINES : ROUBAUD, CABUCHE, FLORE, MISARD

Les fauves qui tuent

Roubaud

Ivre de jalousie, Roubaud frappe pour « apaiser la bête hurlante au fond de lui » (p. 53). Séverine, épouvantée, le regarde « comme elle aurait regardé un loup, un être d'une autre espèce » (p. 54). Plus tard, la rivalité de Roubaud et de Jacques les assimile à deux fauves : « Est-ce que, dans les bois, si deux loups se rencontrent, lorsqu'une louve est là, le plus solide ne se débarrasse pas de l'autre, d'un coup de gueule ? » (p. 338). Car les conflits naissent entre des mâles « se disputant la femelle » comme une « proie qu'on emporte sur le dos » (p. 86, 417). « Anciennement, quand les hommes s'abritaient, comme les loups, au fond des cavernes, est-ce que la femme désirée n'était pas à celui de la bande qui la pouvait conquérir ? » (p. 338).

Cabuche

Cabuche, qui présente les signes extérieurs d'animalité parce que, chez lui, la société ne les a pas atténués, est capable lui aussi de violence : il a déjà tué dans une rixe et sous l'effet de l'ivresse. Aussi sera-t-il le coupable tout désigné : « Il n'y avait qu'un assassin possible [...] cette bête brute » (p. 432), « ce loup-garou » (p. 348), « cette bête violente » (p. 436). Au procès, Cabuche apparaît tel qu'on se l'était imaginé : « des poings énormes, des mâchoires de carnassier » (p. 447). Lors de l'instruction, il avait eu beau se défendre, ses dénégations apparaissaient comme des sursauts, « un hérissement fauve de bête traquée » (p. 157). Cependant, cet être fruste est capable de tendresse : pour Louisette d'abord, pour Séverine ensuite. Alors, sa physionomie prend une apparence inoffensive, celle d'un « bon chien qui se donne dès la première caresse » (p.394) ; Cabuche sert Séverine « en chien fidèle » (p. 391 ; mêmes images p. 157 et 398).

Flore

Comme Cabuche, Flore est un être sauvage et animal : « Elle avait relevé sa tête puissante, dont la toison blonde frisait très bas sur le front » (p. 80). Courant dans « les sentiers de ce pays de loups », refusant de se laisser approcher, « elle ba[t] les mâles » (p. 354). Parfois elle s'en va par un sentier le long du tunnel, « en chèvre échappée de sa montagne » (p. 357), pour rendre visite à son ami Ozil. Chez elle aussi, la jalousie se transforme en « instinct sauvage de détruire » (p. 355). Elle décide alors la vengeance « irrévocable, le coup de patte de la louve qui casse les reins au passage » (p. 362).

Misard

À côté des fauves, le sournois Misard accomplit lentement son œuvre de mort. « C'est lui, confie Phasie à Jacques, qui me mange ! » (p. 67). Elle a de lui « une peur secrète grandissante, la peur du colosse devant l'insecte dont il se sent mangé » (p. 70). Il arrivera d'ailleurs à ses fins : « Il l'avait mangée [...] comme l'insecte mange le chêne » (p. 349 et 350 ; *id.* p. 268). Il « était venu à bout de cette gaillarde, en insecte rongeur » (p. 396).

Les autres bêtes humaines

Les autres personnages du roman sont également, mais dans de moindres proportions, réduits à l'animalité :
– Séverine, plus féline que carnassière, « aurait voulu des sommeils de chatte » (p. 328).
– Philomène, maîtresse de Pecqueux, puis de Jacques, apparaît tantôt comme « une maigre chatte amoureuse » (p. 424), tantôt avec un « grand corps brûlé de maigre cavale » (p. 325 ; *id.* p. 109).
– Il n'est pas jusqu'à la victime du premier crime, le président Grandmorin, qui ne soit une « bête humaine ». Malgré sa respectabilité de grand bourgeois, ses perversités ont causé la mort de Louisette et la souillure de Séverine. Aussi mérite-t-il l'injure de Roubaud qui crie en l'égorgeant : « Cochon ! cochon ! cochon ! » (p. 293). « Ah ! le cochon, c'est donc fini ! » crie-t-il après l'avoir « saigné » (p. 295).

Toutes ces violences bestiales donnent à la phrase désabusée de Phasie Misard sa pleine justification : « On va vite, on est plus savant [...] Mais les bêtes sauvages restent des bêtes sauvages » (p. 72).

Le progrès n'a pas supprimé en nous le fond primitif de cruauté. D'ailleurs, l'image du train fou convoyant vers le front des soldats entassés « comme du bétail humain conduit à l'abattoir » (p. 457), n'est pas seulement un impressionnant effet de « fin ouverte », annonçant le désastre de Sedan[1], qui sera le sujet de *La Débâcle*, en 1892. C'est aussi le symbole de la bestialité collective qui va trouver dans la guerre sa plus barbare expression. N'est-elle pas le fait de « bêtes humaines », à la fois bourreaux et victimes ? L'hécatombe qui se prépare couronnera ce roman d'horreur et de sang.

LA BÊTE HUMAINE : DES MACHINES

Dès l'ouverture du roman, les locomotives sont assimilées à des êtres vivants. Mais c'est la Lison qui, surtout, mérite le nom de « bête humaine ». Elle a avec Jacques des rapports ambigus : elle peut être une femme, qui le calme « à l'égal d'une maîtresse apaisante » (p. 87). Mais c'est le plus souvent sous la forme animalisée qu'elle figure dans le roman : c'est une jument de race que Zola désigne du nom noble et épique de « cavale ». Fine et élégante, Jacques la soigne avec amour, « de même qu'on bouchonne les bêtes fumantes d'une longue course » (p. 197). Elle lui est soumise : « Il la chevauchait à sa guise, [...] la traitait en bête domptée » (p. 201). Son agonie, à côté des chevaux broyés dans l'accident, est celle d'un bel animal : « Les roues en l'air, [...] souillée de terre et de bave, elle toujours si luisante, vautrée sur le dos, [...] elle avait la fin tragique d'une bête de luxe qu'un accident foudroie en pleine rue » (p. 377).

Le rôle important que joue la Lison dans la vie de Jacques explique que ses pulsions criminelles triomphent de lui après l'accident de la locomotive, comme si l'équilibre qu'elle lui procurait avait disparu. Substitut de la femme, compagne fidèle et soumise, à la fois maîtresse et monture (Zola joue sans ambiguïté sur les deux registres), la Lison est, autant que son maître, une « bête humaine ».

1. Sedan (2 septembre 1870) : défaite de la France devant la Prusse, qui entraîna la chute du Second Empire.

4 Les personnages

LE SYSTÈME DES PERSONNAGES

Les relations qui unissent les différents personnages de *La Bête humaine* ne sauraient être mieux symbolisées que par la figure du triangle. Tous les rapports entre les acteurs du drame sont du même type : un couple dans lequel s'infiltre un élément étranger qui en détruit l'équilibre et l'harmonie. Ainsi :

– le souvenir de Grandmorin ruine la confiance de Roubaud en Séverine et le transforme en meurtrier ,
– Jacques Lantier, contre lequel se sont d'abord ligués Roubaud et Séverine, pour « acheter » son silence, en devenant l'amant de la jeune femme, détruit le couple, prend la place de Roubaud, lequel devient à son tour l'ennemi à neutraliser ;
– Flore, amoureuse de Jacques et jalouse de Séverine, décide de les séparer par la mort et provoque l'accident ;
– Grandmorin, en violant Louisette, prive Cabuche d'une amie, et provoque sa haine ;
– Pecqueux vit entre deux femmes : Victoire, à Paris, et sa maîtresse Philomène, au Havre ;
– si l'on considère – et ce n'est pas là trahir l'intention de Zola – la Lison comme un personnage, on constate qu'elle forme, avec Jacques et Pecqueux, ce que le romancier appelle un « ménage à trois » (p. 424). À la « mort » de la Lison, l'entente entre les deux hommes se dégrade ;
– par ailleurs, Jacques, disponible après avoir tué Séverine, cède aux avances de Philomène, maîtresse de Pecqueux : celui-ci, ivre et fou de jalousie, agresse le jeune homme et tous deux luttent à mort sur le train (p. 460).

Séverine

Elle est au centre du drame. Son portrait physique la présente comme séduisante : « Dans l'état de ses vingt-cinq ans, elle semblait grande, mince et très souple, grasse pourtant avec de petits os. Elle n'était point jolie d'abord, la face longue, la bouche forte, éclairée de dents admirables. Mais, à la regarder, elle séduisait par le charme, l'étrangeté de ses larges yeux bleus, sous son épaisse chevelure noire » (p. 33).

Femme-enfant...

Fine et fragile, Séverine a séduit Roubaud par son air de distinction, inné ou acquis peut-être au contact des grands bourgeois qui l'ont recueillie, elle, la fille de leur jardinier. Elle apparaît si différente des femmes de son milieu que Jacques lui-même l'a remarquée. Elle connaît son pouvoir sur les hommes et en joue volontiers, même avec Camy-Lamotte quand il s'agit de sonder ses soupçons. Elle-même, du moins avant sa liaison avec Jacques, a subi l'amour des hommes sans jamais avoir connu le plaisir. Femme-enfant, elle semble n'accorder aucune importance aux privautés de Grandmorin, ni aux étreintes de son mari. Mais la découverte de la passion entre les bras de Jacques va transformer cette femme soumise, passive, en femme avide d'amour, exigeante : elle prend l'initiative des rencontres et organise l'adultère ; après avoir été associée de force au premier meurtre, elle en prémédite un second, contre un mari qui maintenant l'encombre. Dans l'égoïsme de ses instincts, elle revendique son bonheur longtemps attendu : « En finir, recommencer, elle ne voulait que cela, au fond de son inconscience de femme d'amour, complaisante à l'homme, toute à celui qui la tenait, sans cœur pour l'autre qu'elle n'avait jamais désiré. On s'en débarrassait, puisqu'il gênait, rien n'était plus naturel ; et elle devait réfléchir, pour s'émouvoir de l'abomination du crime » (p. 413).

... et femme fatale

Car cette femme enfant, qui est également une femme fatale sans l'avoir vraiment voulu, déchaîne sur son passage des instincts de sexualité et de violence. Elle est un « instrument d'amour, instrument de mort » (p.58). Mais rien ne semble la marquer : « De l'affreux drame, elle avait simplement gardé l'étonnement d'y avoir été mêlée ; de même qu'elle semblait être restée vierge et candide, au sortir des souillures de sa jeunesse » (p. 328 ; même idée p. 418).

Tout se passe comme si, en Séverine, l'instinct de bonheur, frustré jusqu'alors par les désirs égoïstes des hommes, devenait pour elle la seule loi. Ni scrupules, ni remords ne l'affectent. Elle paie de sa vie cette inconscience, victime de la fatalité qui retourne contre elle le bras qu'elle avait armé contre un autre.

Roubaud

C'est peut-être lui que les événements vont transformer le plus profondément. Employé et mari modèle, il ne semble guère, au début du roman, promis à un destin tragique. Après un début de carrière sans éclat, il doit à la protection de Grandmorin de passer sous-chef de gare au Havre. « Il avait sans doute pour lui ses notes de bon employé, solide à son poste, ponctuel, honnête, d'un esprit borné, mais très droit, toutes sortes de qualités excellentes qui pouvaient expliquer l'accueil prompt fait à sa demande et la rapidité de son avancement. Il préférait croire qu'il devait tout à sa femme. Il l'adorait » (p. 32).

Plus âgé que Séverine (il a une quarantaine d'années), Roubaud porte sur son visage les signes de la violence et de la jalousie : « De taille moyenne, mais d'une extraordinaire vigueur, il se plaisait à sa personne, satisfait de sa tête un peu plate, au front bas, à la nuque épaisse, de sa face ronde et sanguine, éclairée de deux gros yeux vifs. Ses sourcils se rejoignaient, embroussaillant son front de la barre des jaloux » (p. 31).

La violence de Roubaud éclate lorsque Séverine se trahit et qu'il devine ses relations avec Grandmorin : « En trois ans, il ne lui avait pas donné une chiquenaude, et il la massacrait, aveugle, ivre, dans un emportement de brute, de l'homme aux grosses mains, qui, autrefois, avait poussé des wagons » (p. 47). Mais, après avoir décidé, très vite, de se venger et de tuer, ce violent se montre capable de sang-froid : c'est très méthodiquement qu'il prépare le crime, et imagine la meilleure manière d'affronter les interrogatoires. C'est également pour assurer sa sécurité et celle de Séverine qu'il est amené à attirer Jacques vers la jeune femme car, assez paradoxalement, ce jaloux devient très vite un mari complaisant. Lui qu'une rage jalouse a conduit à l'assassinat, en arrive, par peur d'être découvert, à pousser sa femme dans les bras d'un autre. Il semble d'ailleurs moins souffrir de l'infidélité physique de sa femme que de sa trahison : son ancienne complice l'a exclu de sa vie. La désunion s'est installée dans le couple, et, avec elle, l'ennui, le besoin qu'éprouve alors Roubaud de fuir son foyer où tout lui rappelle le drame. Aussi se réfugie-t-il dans les cafés où il dépense au jeu l'argent du ménage. C'est là une transformation notable, qui entraîne Roubaud plus loin encore : acculé par les dettes, ne va-t-il pas toucher à l'argent de sa victime, contre toute prudence ? Il semble cependant dépourvu de vrais remords : « Il avait eu seulement peur des suites. [...] À cette heure, il ne regrettait rien » (p. 214). En fait, il en vient même à se demander « si cela valait vraiment la peine de tuer. Ce n'était, d'ailleurs, pas même un repentir, une désillusion au plus, l'idée qu'on fait souvent des choses inavouables pour être heureux, sans le devenir davantage » (p. 215).

Jacques Lantier

Héros principal de *La Bête humaine*, destiné à être le type du meurtrier porteur de la folie héréditaire, il a été « construit » méthodiquement par le romancier. Zola avait soigneusement étudié un ouvrage récent de pathologie criminelle, *L'Homme criminel*, du docteur Lombroso (1887). Il en retint surtout l'analyse d'un cerveau livré à la folie homicide, au « vertige criminel épileptoïde ». Selon le docteur Lombroso, « les crimes les plus affreux ont un point de départ physiologique, atavique, qui peut s'émousser pour un temps dans l'homme grâce au milieu, à la crainte du châtiment, mais qui renaît tout à coup sous l'influence de certaines circonstances[1]. »

1. Cité par Henri Mitterand, *Les Rougon-Macquart*, Éd. Gallimard, « Bibliothèque de la Pléiade », tome IV.

Tel est bien le cas de Jacques. Il est le fils de Gervaise Macquart, héroïne de *L'Assommoir*, abandonnée avec ses fils par son amant Lantier. Elle épouse l'ouvrier Coupeau, mais l'alcoolisme fera sombrer le couple dans la misère et la mort. Confié jeune à sa tante Phasie, Jacques a suivi les cours des Arts et Métiers pour devenir mécanicien de première classe à la Compagnie de l'Ouest, où travaille Roubaud, et dont Grandmorin a été président. Il aime son métier de mécanicien, qui apporte un dérivatif à ses pulsions sauvages. Car, malgré une apparence saine et robuste, il souffre depuis sa jeunesse de troubles inquiétants. « Vrai ! lui demande Phasie, tout a disparu, cette douleur qui te trouait le crâne, derrière les oreilles, et les coups de fièvre brusques, et ces accès de tristesse qui te faisaient te cacher comme une bête, au fond d'un trou ? » (p. 74).

Porteur de la « fêlure héréditaire », Lantier « en venait à penser qu'il payait pour les autres, les pères, les grands-pères, qui avaient bu, les générations d'ivrognes dont il était le sang gâté, un long empoisonnement, une sauvagerie qui le ramenait avec les loups mangeurs de femmes, au fond des bois » (p. 85). Il ne peut prendre une femme dans ses bras sans éprouver l'irrésistible envie de l'égorger. Aussi fuit-il leur compagnie, et trouve-t-il en la Lison la compagne sans danger, le remède à ses pulsions meurtrières. « Quand elle l'emportait, dans la trépidation de ses roues, à grande vitesse, [...] il ne pensait plus, il respirait largement l'air pur qui soufflait toujours en tempête. Et c'était pour cela qu'il aimait si fort sa machine, à l'égal d'une maîtresse apaisante, dont il n'attendait que du bonheur » (p. 87).

Mais le destin le guette, et réveille en lui la folie meurtrière. C'est d'abord la découverte du corps mutilé de Grandmorin, et la fascination pour ce crime qu'un autre a osé accomplir. Puis, quand il se croit guéri par la possession de Séverine, la confession de la jeune femme, les détails qu'il lui arrache, l'émotion et le trouble qu'il ressent à ce récit, vont rouvrir la « fêlure » : Séverine a participé au crime : cela va-t-il la protéger ? Dans un premier temps, oui : « Elle l'avait guéri, parce qu'il la voyait autre, violente dans sa faiblesse, couverte du sang d'un homme qui lui faisait comme une cuirasse d'horreur » (p. 228). Mais, par la suite, la jeune femme accumule inconsciemment les imprudences : elle réclame avec insistance à Lantier de tuer pour elle ; elle lui arme le bras. Tout d'abord, le crime de sang-froid apparaît impossible à l'amant de Séverine : « Non, non, il ne frapperait pas ! Cela lui paraissait monstrueux, inexécutable, impossible. En lui, l'homme civilisé se révoltait. [...] Oui, tuer dans un besoin, dans un emportement de l'instinct ! Mais tuer en le voulant, par calcul et par intérêt, non, jamais, jamais il ne pourrait ! » (p. 338-339). Lorsque Séverine finit par décider Jacques à attirer Roubaud et à le tuer, elle s'offre à ses yeux dévêtue, lui tend les bras ; et l'inévitable s'accomplit. Cet « autre » que Jacques porte en lui frappe, et c'est au moment où pour lui amour et mort se confondent, qu'il éprouve la pleine sensation de son existence, de sa virilité : « Une joie effrénée, une jouissance énorme le soulevait, dans la pleine satisfaction de l'éternel désir [...], un grandissement de sa souveraineté de mâle » (p. 418).

Comme Roubaud, comme Séverine après le meurtre de Grandmorin, son acte laisse Lantier dépourvu de regrets : « Depuis le crime, pas un frisson ne lui c'était venu, il ne songeait même pas à ces choses, la mémoire abolie. [...] Il n'avait ni remords, ni scrupules, d'une absolue inconscience » (p. 449).

Cabuche

Cabuche est un carrier[1] qui vit dans une cabane au fond de la forêt de Brécourt, près de la Croix-de-Maufras. C'est chez lui qu'est venue mourir Louisette, victime des sévices de Grandmorin. Elle était la seule qui portât à ce solitaire, à cet être fruste et sauvage, un peu d'affection. Aussi est-il plein de haine pour le responsable de sa mort. Comme il ne cache rien de sa haine, il devient très vite le principal suspect, d'autant que ce violent a déjà tué en état d'ivresse. Son physique ne plaide guère en sa faveur : « La face massive, le front bas disaient la violence de l'être borné, tout à la sensation immédiate » (p. 157). C'est pour s'être trouvé par malheur et par deux fois auprès des deux femmes victimes, Louisette et Séverine – dont il était d'ailleurs un peu amoureux – qu'on l'accusera d'avoir participé aux deux crimes.

1. Chargé du transport des pierres.

Paradoxalement, c'est chez ce sauvage que se trouve peut-être la seule trace de véritable tendresse de tout le roman. Ainsi en témoigne son émotion à la découverte de Séverine égorgée : « Puis il aperçut le sang, il comprit, s'élança avec un terrible cri qui sortait de son cœur déchiré. [...] il la saisit d'un élan fraternel, à pleins bras, la souleva, la posa sur le lit, dont il rejeta le drap, pour la couvrir » (p. 420-421).

Flore

Sœur de Louisette, fille des Misard, c'est une belle et forte jeune fille qui fuit tous les hommes, n'ayant de tendresse que pour Jacques auprès duquel elle a été élevée.

Antithèse de la fine et passive Séverine qui, elle, se soumet aux hommes, Flore connaît la jalousie dans toute sa violence quand elle comprend que Jacques, autrefois comme elle dédaigneux de l'amour, l'a négligée pour une autre (p. 354). Chez Flore, l'idée du crime naît spontanément de cette évidence et de sa frustration (p. 355). Et sa vengeance est à la mesure de sa haine : « Et cet écrasement d'un train, ce sacrifice de tant de vies, devenait l'obsession de chacune de ses heures, l'unique catastrophe, assez large, assez profonde de sang et de douleur humaine, pour qu'elle y pût baigner son cœur énorme, gonflé de larmes » (p. 355).

Flore est un personnage un peu à part dans le roman, dans la mesure où elle présente les caractéristiques d'une héroïne d'épopée : sa taille et sa force physique sortent de l'ordinaire ; sa violence et son courage l'apparentent aux figures féminines mythiques telles que les Amazones ou les Walkyries[1]. À plusieurs reprises, Zola évoque sa taille haute et souple de guerrière blonde » (p. 80, 82, 271, 354). On la voit soulever des charges énormes (p. 80). C'est cette force hors du commun, encore décuplée par la rage de détruire, qui lui permet d'arrêter sur la voie l'attelage chargé de blocs de pierre, et de provoquer le déraillement (p. 365).

1. *Amazones* et *Walkyries* : figures féminines guerrières des mythologies grecque et scandinave.

5 Les lieux dans *La Bête humaine*

Dans les romans de Zola, les lieux ne se réduisent pas à de simples décors. Ils participent très étroitement au destin des personnages et sont parfois intégrés avec un statut de forces agissantes au système narratif.

L'unité de lieu de *La Bête humaine* est constituée par la ligne Paris-Le Havre avec ses deux villes terminus, une étape à Rouen pour l'enquête et le procès, et la portion de ligne Barentin-Malaunay où se consomme l'essentiel du drame (voir le plan de la ligne Paris-Le Havre p. 10).

LES VILLES

Le Havre

La ville est réduite à sa gare où vivent et travaillent les principaux personnages. Monde clos où se jouent les carrières, où se développent et s'enveniment les rivalités, la gare du Havre intéresse le romancier surtout en tant que cadre de la vie quotidienne, alors que la gare Saint-Lazare est essentiellement évoquée du point de vue de l'atmosphère et du trafic parisien.

Démolie en 1884, la gare du Havre a pu abriter l'action du roman qui se situe en 1869-1870, mais Zola ne l'a pas connue dans son état primitif. Il tient du témoignage d'un ancien cheminot la description de la cantine, de la salle des consignes, du dépôt, du dortoir. L'ensemble crie misère : « On distinguait [...] les murs lézardés, les charpentes noires de charbon, toute la misère caduque de cette bâtisse, devenue insuffisante » (p. 222).

Les logements sont l'enjeu d'âpres intrigues, tel celui que se disputent les Roubaud et les Lebleu, qui donne « sur la cour du départ, plantée de vieux ormes, par-dessus lesquels se déroulait l'admirable vue de la côte d'Ingouville […] », tandis qu'« il y avait de quoi mourir d'ennui dans les autres, où l'on voyait à peine clair, le ciel muré comme en prison » (p. 112). La ville est séparée par l'« éternel mur » du premier logement des Roubaud, et le sous-chef éprouve parfois le besoin, grimpant alors sur le toit et s'asseyant en haut du pignon, de voir « la ville étalée à ses pieds, les bassins plantés de la haute futaie des mâts, la mer immense, d'un vert pâle, à l'infini » (p. 209).

Plus tard, après leur crime, lorsque Séverine et son mari seront sur le point d'obtenir enfin le logis convoité, ils n'y tiendront plus. Tout se passant comme si le couple désuni s'accommodait de l'obscurité abritant sa conscience criminelle : « Cette pente de zinc qui leur barrait la vue, ainsi qu'un mur de prison, au lieu de les exaspérer comme autrefois, semblait les tranquilliser, augmentait la sensation d'infini repos, de paix réconfortante où ils s'endormaient » (p. 207). Séverine, une fois le déménagement accompli, en viendra même à regretter « son ancien trou, […] où la saleté se voyait moins » (p. 347). Quant à Roubaud, « il ne semblait pas savoir qu'il eut changé de niche » (p. 347).

Noirceur et crasse, telle est l'ambiance où vivent les héros, que leur destin condamne à cet univers sinistre : les amours clandestines de Jacques et de Séverine ont pour cadre le décor du dépôt et de ses dépendances, « sorte d'immense terrain vague, encombré de voies de garage, de réservoirs, de prises d'eau, de constructions de toutes sortes » (p. 218). Il faudra toute l'ivresse de leur passion naissante pour qu'ils jettent un regard nouveau sur l'arrière-gare : « Ils avaient surtout trouvé un coin adorable […], une sorte d'allée, entre des tas énormes de charbon de terre, qui en faisaient la rue solitaire d'une ville étrange, aux grands palais carrés de marbre noir » (p. 220). Mais c'est la remise à outils qui sera leur dérisoire refuge et abritera leur première étreinte.

Paris

Comme Le Havre, Paris n'est dans le roman que le terminus de la ligne ferroviaire, et, mis à part les alentours de la gare Saint-Lazare que parcourt Séverine au chapitre IV, la ville n'est évoquée que depuis la fenêtre de la chambre de l'impasse d'Amsterdam, donnant justement sur la gare.

La chambre de l'impasse d'Amsterdam

Cette chambre peut être considérée comme un lieu d'une extrême importance : d'abord, elle est le lieu d'observation à partir duquel le lecteur fait connaissance avec les voies, le trafic, l'ambiance (chap. I). C'est pour le romancier l'occasion d'un reportage sur le milieu ferroviaire, mais il intègre comme toujours sa description à l'action en passant par le point de vue d'un personnage : c'est le regard professionnel de Roubaud qui suit les mouvements des différentes machines, apprécie la densité du trafic, repère les horaires. D'ailleurs, la notion de temps qui passe semble accrue par les différentes visions de la gare à différents moments de l'après-midi : on retrouve ici, d'une certaine manière, la technique des peintres impressionnistes, et notamment celle de Claude Monet, peignant la cathédrale de Rouen et la gare Saint-Lazare sous différentes lumières. En outre, les étapes successives de cette description qui forme l'ouverture du roman font apparaître progressivement l'âme de cet univers mécanique, d'où se dégage une âpre et prenante atmosphère.

Mais au niveau purement descriptif de ce reportage s'ajoute discrètement, de façon de plus en plus expressive, une coloration affective en harmonie avec l'état d'âme des personnages : inquiétude, rage violente, angoisse, se retrouvent dans le décor et la vie des choses. Lorsque Roubaud médite son projet criminel, on a l'impression de retrouver dans sa vision de la gare la confusion de ses pensées : « Sans cesse, des trains filaient dans l'ombre croissante, parmi l'inextricable lacis des rails. [...] C'était une confusion, à cette heure trouble de l'entre chien et loup, et il semblait que tout allait se briser » (p. 56). De même, lorsque Séverine, laissée seule, retourne à la fenêtre, le décor semble refléter son angoisse : « Dans la détresse affreuse de cette nuit qui tombait [...], cela était immense et triste, noyé d'eau, çà et là piqué d'un feu sanglant, confusément peuplé de masses opaques [...] et, du fond de ce lac d'ombre, des bruits arrivaient, des respirations géantes, haletantes de fièvre, des coups de sifflet pareils à des cris aigus de femmes qu'on violente [...] » (p. 58-59). La fin du chapitre se charge même de signes prémonitoires de la violence qui se prépare : « On ne voyait de lui [le train], saignant comme des blessures ouvertes, que les trois feux de l'arrière, le triangle rouge » (p. 62).

La chambre est aussi un lieu qui participe à l'action : elle abrite et détermine les scènes clés du drame, puisque par deux fois y germe le crime :

– au chapitre I, Roubaud y contraint Séverine à avouer ses relations avec Grandmorin et à s'associer à son projet de meurtre ;

– au chapitre VIII, Séverine, qui y passe sa première nuit avec Jacques, comme entraînée par les souvenirs éveillés par la chambre, se livre aux aveux, mais spontanément et non sans complaisance : « Elle revivait malgré elle les heures qu'elle avait vécues là, avec son mari [...]. Une excitation croissante se dégageait des choses, les souvenirs la débordaient, jamais encore elle n'avait éprouvé un si cuisant besoin de tout dire à son amant, de se livrer toute » (p. 282).

Ainsi les deux confessions de Séverine, la première involontaire, la seconde volontaire mais déterminée en grande partie par l'atmosphère de la chambre, déclenchent le crime. Le lecteur, averti, lui, du réveil des instincts de Jacques, pressent qu'elle se désigne inconsciemment comme la prochaine victime.

LA LIGNE : LE PAYSAGE DE PARIS AU HAVRE

La ligne Paris-Le Havre et les paysages qu'elle traverse, l'express conduit par Jacques apparaissent plusieurs fois dans le roman, aux chapitres V, VII, X et XII. La description est toujours présentée par le relais du regard d'un des personnages.

Pour Jacques, ce qui compte surtout, ce sont les étapes qui jalonnent cette ligne, les difficultés qui peuvent surgir aux endroits critiques, plus que le paysage auquel le conducteur ne prête plus guère attention, pris tout entier par la surveillance de la voie : « Il n'y avait plus qu'un autre tunnel, celui du Roule, près de Gaillon, avant la gare de Sotteville, une gare redoutée, que la complication des voies, les continuelles manœuvres [...] rendent très périlleuse » (p. 201). Lors de la traversée dans la neige, le conducteur perd tous ses repères : « Dans cette tourmente, tout avait disparu, à peine pouvaient-ils, eux pourtant à qui chaque kilomètre de la route était si familier, reconnaître les lieux qu'ils traversaient » (p. 247).

Séverine, elle, tout à l'ivresse de sa liaison et de son évasion hebdomadaire, jette sur le paysage un regard attentif et chargé de tendresse : « Après Rouen, la Seine se déroulait. [...] Dès Gaillon, on ne la quittait plus, elle coulait à gauche, ralentie entre ses rives basses, bordée de peupliers et de saules. [...] Elle était comme la compagne amicale du voyage » (p. 329-330).

LA CROIX-DE-MAUFRAS

C'est après un repérage minutieux du trajet Paris-Le Havre que Zola décide de situer son « carrefour des crimes » entre Barentin et Malaunay[1]. Il y a en effet remarqué les éléments nécessaires à la fois à l'ambiance sinistre qu'il voulait créer et aux péripéties spectaculaires qu'il avait envisagées avant même de commencer la rédaction du roman : un tunnel, un passage à niveau, une rampe enchâssée dans une tranchée, un paysage accidenté, bref, un lieu coupé du monde. Le paysage lui-même semble mort : « Les terrains, maigres, blanchâtres, restent incultes. [...] Les coteaux se succèdent, stériles, dans un silence et un abandon de mort » (p. 64). Les communications très difficiles font de ce lieu un espace coupé de la vie, et que plusieurs fois désigne le mot « trou » : « On ne saurait imaginer un *trou* plus reculé, plus séparé des vivants » (p. 63) ; Phasie a « la certitude de vivre et de crever dans ce *trou*, à mille lieues des vivants » (p. 68) ; « Marraine [lui dit Jacques], vous vous plaignez de ne jamais voir un chat, dans votre *trou* [2] » (p. 71).

---

1. Barentin et Malaunay sont des lieux réels. La Croix-de-Maufras est un nom inventé par le romancier, qui aurait choisi pour première syllabe (*mau*) une forme ancienne du mot *mal*, utilisée dans la composition de termes péjoratifs. Voir le schéma p. 10 et les notes de l'édition de la Pléiade des *Rougon-Macquart*, tome IV, p. 1750.
2. C'est nous qui soulignons.

La maison du crime

La violence semble s'être concentrée en ce lieu de mort : viol et agonie de Louisette, découverte du corps de Grandmorin, empoisonnement de Phasie, déraillement du train, suicide de Flore, meurtre de Séverine. Jacques pressent d'ailleurs le rôle que va jouer dans son destin cette maison de la Croix-de-Maufras devant laquelle son express passe chaque jour : « Elle le hantait sans qu'il sût pourquoi, avec la sensation confuse qu'elle importait à son existence » (p. 78). Du plus loin, « ce fut [...] la brusque vision de la maison plantée de biais, dans son abandon et sa détresse, les volets éternellement clos, d'une mélancolie affreuse. Et, sans savoir pourquoi, cette fois encore plus que les précédentes, Jacques eut le cœur serré, comme s'il passait devant son malheur » (p. 202). Au moment du crime, il se rappelle « l'affreuse tristesse qu'il éprouvait chaque fois, le malaise dont elle le hantait, comme si elle se dressait à cette place pour le malheur de son existence » (p. 390).

À l'intérieur de la maison, la chambre du crime en porte déjà les signes : « Les rideaux rouges du lit, les tentures rouges des murs, tout ce rouge dont flambait la pièce. [...] Il regarda le soleil, le ruissellement rouge où il était » (p. 408). Après le meurtre, Jacques s'enfuit sans se retourner, car « la maison louche, plantée de biais au bord de la voie, restait ouverte et désolée derrière lui, dans son abandon de mort » (p. 420).

Le tunnel

Non loin de la maison, le tunnel est aussi un lieu associé à la peur et à la mort. Il appartient à la mythologie de Zola, pour qui c'était l'objet d'un cauchemar fréquent, transposé dans *La Faute de l'abbé Mouret* et *Germinal*. Les trains et les hommes s'y enfoncent, ou en jaillissent, à la merci d'un écroulement. Dans sa crise du chapitre II, Jacques est sans cesse ramené vers la voie, prisonnier de ce « labyrinthe sans issue, où tourn[e] sa folie » : « Il aperçut devant lui l'ouverture ronde, la gueule noire du tunnel. Un train montant s'y engouffrait, hurlant et sifflant, laissant, disparu, bu par la terre, une longue secousse dont le sol tremblait » (p. 84).

Séverine, au chapitre VIII, raconte à son amant que ce tunnel fut l'endroit choisi pour le meurtre de Grandmorin : « Sous le tunnel, le train courait... Il est très long, le tunnel. On reste là-dessous trois minutes. J'ai bien cru que nous y avions roulé une heure » (p. 293). Car les repères habituels disparaissent, et le vertige gagne ceux qui s'y aventurent, comme Flore qui aime à y jouer avec le danger : « Chaque fois, elle manquait de s'y faire broyer, et ce devait être ce péril qui l'y attirait, dans un besoin de bravade. [...] C'était la folie du tunnel, les murs qui semblaient se resserrer pour l'étreindre, la voûte qui répercutait des bruits imaginaires, des voix de menace, des grondements formidables. [...] Deux fois, une subite certitude qu'elle se trompait, qu'elle serait tuée du côté où elle fuyait, lui avait fait, d'un bond, changer la direction de sa course » (p. 355-356). Aussi, est-ce en ce lieu qu'elle ira à la rencontre du train qui, dans un roulement de tonnerre, « ébranlant la terre d'un souffle de tempête », la projettera sur la voie (p. 385).

Une lecture psychanalytique de Zola assimile le train grondant au « fantasme d'un père vengeur et castrateur », tandis que le tunnel symboliserait ce que Zola appelle « le gouffre noir du sexe » : « Comme toujours, l'image est complexe et cristallise des significations multiples : le surgissement du train est inséparable du trou : trou noir du tunnel, trou plus vaste de la nuit[1]. »

1. Jean Borie, *Zola et les mythes*, Éd. du Seuil, p. 187.

6 *La Bête humaine*, roman du crime

UN ROMAN JONCHÉ DE CADAVRES

Quelle que soit la brutalité particulière à une grande partie de l'œuvre de Zola, c'est incontestablement dans *La Bête humaine* que se concentrent les violences les plus nombreuses et les plus variées : Zola n'avait-il pas annoncé « un drame violent à donner le cauchemar à tout Paris[1] » ? De fait, dans presque chaque chapitre, un meurtre se prépare, s'accomplit ou se raconte. Comme autant d'étapes d'une ligne de mort, les crimes se succèdent.

Des crimes passionnels

Le meurtre central est celui que commet Roubaud, aidé par Séverine, sur la personne du président Grandmorin. Il a pour mobile la jalousie rétrospective. Décidé en un moment, préparé en deux heures, il s'accomplit selon un scénario habilement conçu. Les circonstances aidant, il aurait pu demeurer un crime parfait si un « fétu » n'avait enrayé la mécanique : la présence de Jacques au bord de la voie, au moment du meurtre.

C'est également la jalousie qui pousse Flore à provoquer le déraillement du train, pour tenter de supprimer Séverine ; c'est dans la rage d'avoir échoué qu'elle se suicide.

Quant au viol de Louisette ayant entraîné sa mort, il pourrait également figurer dans la liste des crimes passionnels, si l'on peut qualifier de passion les instincts pervers de Grandmorin. Enfin, la lutte à mort de Jacques et de Pecqueux au chapitre XII a elle-même pour mobile la jalousie.

---

1. Cité par Henri Mitterand, *Les Rougon-Macquart*, Éd. Gallimard, « Bibliothèque de la Pléiade », tome IV, p. 1721.

Un crime crapuleux

C'est lentement, méthodiquement, que Misard empoisonne Phasie qui, malgré sa méfiance, ne peut échapper à la mort. Mais, suprême vengeance, elle emporte avec elle le secret de la cachette de son magot : « Il voulut planter son regard dans le regard fixe de la morte ; tandis que, du coin de ses lèvres retroussées, elle accentuait son terrible rire. [...] " Cherche ! cherche ! " » (p. 351).

Un crime atavique[1]

Ce crime est annoncé dès le second chapitre : il s'agit du meurtre de Séverine par Jacques. C'est peut-être le seul qui mériterait les « circonstances atténuantes ». Car Jacques ne peut être considéré comme entièrement responsable de son acte : de même qu'il avait évité Flore, il fait tout, lorsque la confession de Séverine a réveillé ses tentations, pour fuir la jeune femme. Il faudra qu'elle-même crée les circonstances propices à la crise pour qu'il cède à ses instincts : semi-nudité, abandon, complicité de l'attente fiévreuse sont les éléments déterminants du meurtre.

LE LEXIQUE DE LA VIOLENCE

Il n'est donc pas étonnant de relever dans *La Bête humaine* une abondance de mots appartenant au vocabulaire de la blessure et de la mort. Le relevé exhaustif des termes désignant l'acte criminel (*tuer, étrangler, égorger, saigner, broyer, écraser,* etc.) ou la blessure infligée (*plaie, entaille, coup, trou, déchirure,* etc.) serait une tâche de longue haleine. Nous nous contenterons d'indiquer que le mot *couteau* apparaît soixante-dix fois, et que plus nombreux encore sont les emplois du mot *sang*.

Au-delà même de la désignation des actions ou des objets, les mots sont souvent employés pour leur connotation de violence, et de nombreuses images symbolisent ou préfigurent les actes meurtriers. C'est ainsi qu'au chapitre I, la description des mouvements des

1. *Atavique* : entraîné par l'hérédité.

trains se charge déjà des signes de mort[1]. Cette tranchée large *trouant*[2] [...] le pont de l'Europe *coupait* [...] un grand signal *rouge tachait* le jour pâle [...] *une déchirure* se produisit [...] les fumées *déchiquetées* [...] *piqué* d'un feu *sanglant* [...] les *tronçons* de train », etc. (p. 27 à 59). La dernière image du chapitre est à cet égard très significative : « On ne voyait de lui [le train du crime], *saignant comme des blessures* ouvertes, que les trois feux de l'arrière, le triangle rouge » (p. 62).

De même, la chambre de l'impasse d'Amsterdam, au chapitre VIII, porte en elle les marques de la mort : les deux amants regardent au plafond le reflet « d'un rayon de poêle, une tache *ronde et sanglante* ». Cette tache semble s'agrandir, « s'étendre comme une *tache de sang* » (p. 284). Nous sommes aux frontières du fantastique : l'obsession criminelle déforme la réalité, crée des visions hallucinatoires : le crime est annoncé, inscrit, avant même d'être accompli.

TROP DE SANG ?

Les journaux à sensation de l'époque proposent aux goûts morbides d'un certain public le compte rendu circonstancié de nombreux crimes. En Angleterre, les sinistres exploits de Jack l'Éventreur (dont le prénom est peut-être à l'origine de celui du héros de *La Bête humaine*) terrorisent Londres depuis deux ans. En France, plusieurs faits divers sanglants retiennent l'attention du romancier, lors de la constitution de son dossier préparatoire. Ce seront notamment l'affaire Fenayrou (où un couple de meurtriers avait tué l'amant de la femme), l'affaire Barème (un préfet mystérieusement assassiné dans un train), l'affaire Poinsot (meurtre d'un notable parisien, dont on ne retrouvera jamais le coupable). Ces mêmes journaux relatent les catastrophes ferroviaires les plus horribles, et Zola les étudie soigneusement pour la préparation de l'accident qui doit être l'un des sommets dramatiques de son roman : l'accident de Cabbé-Roquebrune,

1. Voir ci-dessus, « Les lieux dans *La Bête humaine* », p. 58.
2. C'est nous qui soulignons.

près de Menton, en 1886, celui de Charenton, en 1881, furent les plus meurtriers.

Désireux d'exploiter au maximum les effets dramatiques de ces scènes de crime et d'accident, Zola accumule les détails horribles, au point de dépasser les normes du bon goût et de choquer plus d'un de ses contemporains. Mais c'est délibérément que le romancier avait pris ce risque : « Ne pas oublier qu'un drame prend le public à la gorge. Il se fâche mais n'oublie plus. Lui donner, sinon toujours des cauchemars, du moins des livres excessifs qui restent dans sa mémoire[1]. Déjà, *Thérèse Raquin* avait fait scandale. *La Bête humaine* provoqura un tollé de protestations indignées : « Que de sang et d'horreurs ![2] » s'écrie un critique de l'époque. « Jamais, attaque un autre, on n'avait autant massacré dans un seul volume ! Il n'est pas de personnage qui n'ait de sang aux mains. C'est un répertoire complet, un manuel de la tuerie et des façons de tuer de la bête humaine[3]. »

À notre époque, les complaisances d'une presse à sensation prennent le relais, photographies à l'appui, des journaux populaires qui attiraient leurs lecteurs par des illustrations pleines de violence et de sang[4]. Les médias nous ont habitués aux spectacle les plus cruels, et ils ont peut-être « désamorcé » les effets d'horreur tels que, par exemple, la description du cadavre de Grandmorin : « Sous le menton, la blessure bâillait, affreuse, une entaille profonde qui avait coupé le cou, une plaie labourée, comme si le couteau s'était retourné en fouillant » (p. 96) ; ou bien le tableau de Séverine égorgée : « Elle saignait beaucoup, d'un flot rouge qui ruisselait entre les seins, s'épandait sur le ventre, jusqu'à une cuisse, d'où il retombait en grosses gouttes sur le parquet » (p. 417). Aussi la critique d'aujourd'hui s'attarde-t-elle rarement à souligner de telles outrances, plus sensible à la force et même à la poésie qui se dégagent des passages les plus heureux du roman.

1. Cité par Henri Mitterand, *Les Rougon-Macquart*, *op. cit.*, p. 1748.
2. *Ibid.*
3. *Ibid.*
4. « Du sang à la une ! » criaient les marchands de journaux ambulants dans les rues de Paris pour attirer les clients.

Zola donne finalement à la peinture du monde judiciaire moins d'importance qu'il ne l'avait initialement prévu, préférant se pencher sur le crime plutôt que sur sa découverte et sa sanction.

Néanmoins, il eût été infidèle à la perspective de critique politique et sociale des *Rougon-Macquart* s'il n'avait, à l'occasion de l'instruction et du procès des meurtres de Grandmorin et de Séverine, dénoncé la dépendance de la magistrature à l'égard du pouvoir sous le Second Empire, et démontré comment la justice sacrifiait souvent la vérité aux impératifs politiques et à un certain « ordre moral ».

Le contexte politique

C'est dans le climat agité de l'ouverture de la session parlementaire de 1869 que se déroule l'instruction de l'affaire Grandmorin. Séances orageuses à la Chambre, campagnes de presse menées par les journaux républicains d'opposition exploitent le moindre incident : « D'une part, on laisse entendre que la victime, un familier des Tuileries[1], ancien magistrat, commandeur de la Légion d'honneur, riche à millions, était adonnée aux pires débauches ; de l'autre, l'instruction n'ayant pas abouti jusque-là, on commençait à acuser la police et la magistrature de complaisance » (p. 129-130).

Les magistrats chargés des deux affaires tiennent compte du climat politique, encore plus troublé lors de l'instruction du meurtre de Séverine. En effet, en ce mois de juin 1870, l'agitation républicaine redouble, encouragée par les résultats des élections du mois de mai et le succès du plébiscite – plébiscite concernant les mesures libérales concédées par l'Empereur, sous la pression des républicains. La voie semble ouverte à de nouvelles revendications. En outre, la perspective d'une guerre contre la Prusse agite les esprits : « Depuis le succès bruyant du plébiscite, une fièvre ne cessait d'agiter le pays, pareille à ce vertige qui précède et annonce les grandes catastrophes » (p. 440).

1. C'est-à-dire du pouvoir : Napoléon III résidait aux Tuileries.

Les magistrats

Le juge d'instruction Denizet pense surtout à sa carrière et ne fera rien qui puisse contrarier ses supérieurs et nuire à son avancement. D'origine simple, il lui a fallu dix ans pour accéder à ce poste. Le gendre du président Grandmorin, Monsieur de Lachesnaye, grâce à sa naissance et à ses appuis, est déjà conseiller à la cour, à l'âge de trente-six ans, « tandis que lui, pauvre, sans protection, se trouv[e] réduit à tendre l'éternelle échine du solliciteur, sous la pierre sans cesse retombante de l'avancement » (p. 140).

C'est pourquoi l'aigreur et la rancune sociale, qui auraient pu pousser le juge Denizet à exploiter le scandale et suivre son intuition première (culpabilité de Roubaud), cèdent devant son ambition : « Il avait un si cuisant désir d'être décoré et de passer à Paris, qu'après s'être laissé emporter, au premier jour de l'instruction, par son amour de la vérité, il avançait maintenant avec une extrême prudence, en devinant de toutes parts des fondrières, dans lesquelles son avenir pouvait sombrer » (p. 130). Aussi comprend-il le chantage qui se cache derrière les belles paroles du secrétaire général de la Justice, Camy-Lamotte : « Voilà longtemps que nous suivons vos efforts, et je puis me permettre de vous dire que nous vous appellerions dès maintenant à Paris, s'il y avait une vacance » (p. 182). Naturellement, cette pression se déguise sous des alibis moraux : « Aussi est-ce à votre conscience que je m'adresse. Je vous laisse prendre la décision qu'elle vous dictera, certain que vous pèserez équitablement le pour et le contre, en vue du triomphe des saines doctrines et de la morale publique » (p. 182).

Quant à Camy-Lamotte, c'est sans trop de scrupules qu'il se décide à ne pas révéler au juge Denizet la preuve qui confondrait les Roubaud pour le meurtre de Grandmorin. Il préfère le laisser s'enfoncer dans l'erreur judiciaire et envoyer au bagne, comme complice de Roubaud, l'innocent Cabuche. Car Denizet s'accommode très bien de l'explication permettant de sauver l'honorabilité de la victime, si bien que cet homme d'intuition s'aveugle finalement de certitudes rassurantes : « Telle était la vérité ! [...] Les preuves, du reste, ne manquaient plus, un ensemble écrasant. [...] La certitude éclatait, éblouissante [...] » (p. 440).

On ne peut s'empêcher, devant l'ironie et la sévérité du procès intenté par Zola au mécanisme judiciaire, de penser à l'attitude courageuse qui sera la sienne en 1897, lorsqu'une justice partiale et raciste aura envoyé au bagne comme traître le capitaine Dreyfus, officier d'origine israélite. L'article célèbre, « J'accuse ![1] », qui valut à Zola la condamnation et l'exil, participe du même engagement, quel que soit le régime en cause, le Second Empire ou la Troisième République.

1. Lettre ouverte publiée en 1898 dans *L'Aurore*, où le romancier dénonce la machination montée contre Dreyfus, livre au public les noms du traître et des officiers supérieurs qui sont ses complices.

7 *La Bête humaine,* roman du rail

Zola s'est défendu de consacrer au monde des chemins de fer la même attention documentaire qu'il avait porté, dans *Germinal*, à celui de la mine. Il se reprochait d'« avoir trop abusé des machines ».

Selon son projet, le rail ne devait être qu'une « toile de fond » pour son roman du crime. Mais l'étude de ses dossiers préparatoires laisse apparaître l'intérêt progressif du romancier pour ce nouveau milieu : trafic, machines, conditions de vie et de travail du personnel ; rien n'est laissé de côté de ce qui peut authentifier ses personnages et introduire dans la fiction romanesque cet « effet de réel » qu'apportent les précisions sur la vie du rail : c'est la fonction documentaire.

Mais le rôle des trains ne se borne pas là : véritable personnage ou force agissante, le train remplit également une fonction narrative.

Enfin, il représente la force aveugle et irrépressible du progrès, et possède donc une fonction symbolique.

FONCTION DOCUMENTAIRE : LE MONDE DU RAIL SOUS LE SECOND EMPIRE

Le dossier préparatoire du roman accumule les notes relatives à la vie quotidienne – problèmes de logement, de carrière, d'horaires, de discipline – ainsi qu'au fonctionnement des machines. La source principale d'information du romancier est l'ancien ingénieur des chemins de fer, Pol Lefèvre, auteur lui-même d'un ouvrage technique sur le sujet.

Par ailleurs, Zola, au cours de plusieurs visites, s'imprègne de l'atmosphère des gares. Il repère soigneusement, lorsqu'il fait le trajet, la portion de la ligne Paris-Le Havre où il situera tous ses crimes. Une autre fois, de Paris à Mantes, il partagera sur la locomotive les impressions du conducteur : « Le mécanicien ne regarde guère que devant lui ; à peine, de temps en temps, un coup d'œil, jeté à droite et à gauche. [...] Le coup de lumière saignante quand on ouvre la porte du foyer, le rayon lumineux enflammé qui traverse l'espace [...] enfin tout[1]. »

C'est grâce à cette documentation que l'histoire et les personnages de *La Bête humaine* se détachent sur un fond de réel qui leur assure consistance et crédibilité. Mais, à aucun moment, le souci documentaire ne l'emporte sur les exigences romanesques : les descriptions de gares ou de machines s'intègrent toujours au récit par la technique du *point de vue* : le trafic de la gare *vu par* Roubaud, le fonctionnement ou l'accident de la Lison *vus par* Jacques, etc.

La vie des gares et le milieu cheminot

Le premier chapitre est consacré à la description de la gare Saint-Lazare entre trois et six heures de l'après-midi. L'œil professionnel de Roubaud suit les manœuvres des différentes machines, les départs et les arrivées des trains dont il connaît par cœur les horaires : « En bas, une machine de manœuvre amenait, tout formé, le train de Mantes, qui devait partir à quatre heures vingt-cinq. Elle le refoula le long du quai, sous la marquise, fut dételée » (p. 34). Le chapitre III, lui, présente la vie de la gare du Havre au petit matin : nettoyage des trains par l'équipe d'entretien, inspection, formation des convois, relais des équipes de nuit par celles de jour.

Le lecteur y fait connaissance de la microsociété constituée par le personnel des chemins de fer : chef de gare, sous-chef, commissaire de surveillance, caissier, ouvriers d'entretien, chauffeurs et mécaniciens (p. 99-113 ; voir aussi chap. VI, p. 210-219 et IX, p. 312). Au chapitre II apparaît le petit monde des gardes-barrières, représenté par Misard et sa famille. On suit le personnage dans ses tâches de surveillance : « Une sonnerie brusque lui fit jeter au-dehors le même

1. Zola, *Notes de voyage,* 1889. Cité par Henri Mitterand, *Les Rougon-Macquart*, Éd. Gallimard, « Bibliothèque de la Pléiade », tome IV, p. 1775.

regard inquiet. C'était le poste précédent qui annonçait à Misard un train allant sur Paris ; et l'aiguille de l'appareil de cantonnement, posé devant la vitre, s'était inclinée dans le sens de la direction » (p. 68).

L'homme et sa machine

Mais l'intérêt du romancier se concentre surtout sur Jacques Lantier, mécanicien de la Lison, et son chauffeur Pecqueux. Un rappel de sa carrière, au chapitre II, montre que l'intelligence de Jacques lui a permis de devenir très vite mécanicien de première classe, avec un bon salaire augmenté des primes de chauffage[1]. Ses collègues de rang inférieur sont d'anciens ouvriers ajusteurs formés par la Compagnie, alors que lui a suivi les cours de l'école des Arts et Métiers. Il travaille en couple avec son chauffeur, Pecqueux, à qui son ivrognerie interdit l'accès au grade de mécanicien. « D'habitude, les deux hommes s'entendaient très bien, dans ce long compagnonnage qui les promenait d'un bout à l'autre de la ligne, secoués côte à côte, silencieux, unis par la même besogne et les mêmes dangers » (p. 197-198).

L'entretien de sa machine est l'objet de soins vigilants de la part de Jacques Lantier. C'est une locomotive d'excellente qualité, qui « vaporise[2] bien grâce à l'excellent bandage de ses roues et au réglage parfait de ses tiroirs[3] » (p. 196). Parfois il s'inquiète d'une consommation excessive de graisse : « Il fit jouer les manettes, s'assura du fonctionnement de la soupape. Il monta sur le tablier[4], alla emplir lui-même les godets graisseurs des cylindres ; pendant que le chauffeur essuyait le dôme, où restaient de légères traces de rouille » (p. 198). Il la conduit avec l'aisance née d'une longue habitude : « Jacques, monté à droite, chaudement vêtu d'un pantalon et d'un bourgeron[5] de laine, portant des lunettes à œillères de drap, attachées derrière la tête, sous sa casquette, ne quittait plus la voie des yeux, se penchait à toute

1. Les mécaniciens touchaient des primes pour toute économie de charbon qu'ils faisaient en conduisant modérément et sans surchauffer leur machine.

2. Une chaudière *vaporise* quand elle transforme l'eau chauffée en vapeur qui passe dans les pistons.

3. Les *tiroirs* commandent l'ouverture et la fermeture des pistons.

4. Le *tablier* est l'ensemble des passerelles permettant de circuler autour de la chaudière.

5. Courte blouse portée par les ouvriers.

seconde, en dehors de la vitre de l'abri, pour mieux voir. Rudement secoué par la trépidation, n'en ayant pas même conscience, il avait la main droite sur le volant du changement de marche, comme un pilote sur la roue du gouvernail ; il le manœuvrait d'un mouvement insensible et continu, modérant, accélérant la vitesse » (p. 200).

FONCTION NARRATIVE

Le train participe également à l'action, comme force agissante ou même comme personnage.

Une force agissante

Le train est lié au crime : soit qu'il l'abrite (comme l'assassinat de Grandmorin par Roubaud), soit qu'il le détermine (c'est en voyant passer le train où il a entrevu l'assassinat que Lantier est repris par ses obsessions criminelles), soit qu'il en soit l'instrument direct (comme dans le cas du déraillement causé par Flore qui provoque la mort de nombreux voyageurs, ou encore dans celui du suicide de la jeune fille). C'est également à bord d'un train que Jacques et Pecqueux luttent à mort, à la fin du roman, train qui, en outre, convoie des soldats vers le massacre de la guerre.

Un personnage

La locomotive prend le nom de « Lison », nom d'une gare du Cotentin que Jacques a transformé en prénom féminin. Elle est pour lui un véritable être vivant. Ses qualités mêmes de machine s'expliquent par « l'âme, le mystère de la fabrication [...] la personnalité de la machine, la vie » (p. 196). Il « l'aime d'amour, en mâle reconnaissant, à l'égal d'une maîtresse apaisante » (p. 87). Car elle est un dérivatif à ses pulsions criminelles, lui procurant le vertige de la vitesse et l'oubli.

FONCTION SYMBOLIQUE

Le progrès

Les romantiques avaient salué l'apparition du train, symbole du progrès en marche. Victor Hugo, naturellement visionnaire, l'avait transformé en bête monstrueuse : « Il faut beaucoup d'efforts pour ne pas se figurer que le cheval de fer est une bête véritable. On l'entend souffler au repos, se lamenter au départ, japper en route[1]. » Alfred de Vigny, lui, s'inquiète des risques de cette puissance incontrôlée :

> Sur ce taureau de fer qui fume souffle et beugle,
> L'homme a monté trop tôt. Nul ne connaît encor
> Quels orages en lui porte ce rude aveugle [...][2].

On retrouve chez Zola le même symbole, orchestré en leitmotiv dans tout le roman : « Ça, c'était le progrès, tous frères, roulant tous ensemble, là-bas, vers un pays de cocagne » (p. 71). Dans sa marche aveugle, le train, comme le progrès, ignore les drames qu'il côtoie ou qu'il entraîne : « Et ça passait, ça passait, mécanique, triomphal, allant à l'avenir avec une rectitude mathématique, dans l'ignorance volontaire de ce qu'il restait de l'homme, aux deux bords, caché et toujours vivace, l'éternelle passion et l'éternel crime » (p. 75-76). Jacques, à la fin du même chapitre, devant le corps de Grandmorin, a une réflexion semblable : « Tous [les trains] se croisaient, dans leur inexorable puissance mécanique, filant à leur but lointain, à l'avenir, en frôlant, sans y prendre garde, la tête coupée à demi de cet homme qu'un autre homme avait égorgé » (p. 98). Le même leitmotiv apparaît à la page 387.

Car les trains sont rarement à l'arrêt, sauf quand la neige les bloque ou que l'accident les foudroie. Ils passent, lancés à grande vitesse, devant les hommes figés par l'attente, la maladie ou la terreur. Le seul chapitre II est rythmé par le passage de huit trains, et les chapitres I, II, II V, VI, X et XII se terminent par un départ de train.

Le progrès, loin d'éliminer la barbarie, surenchérit parfois dans toute sa puissance meurtrière : « Qu'importaient les victimes que la machine écrasait en chemin ! N'allait-elle pas quand même à l'avenir, insoucieuse du sang répandu ? » (p. 461).

Mais le train symbolise également, comme une lecture psychanalytique le souligne avec justesse, « l'instinct de mort[3] ». Le désir de

---

1. Hugo, *En voyage*, 1837.
2. Vigny, *Les Destinées*, 1864.
3. Gilles Deleuze, préface à *La Bête humaine*, Éd. Gallimard, « Folio », p. 22-23.

meurtre se manifeste un peu comme l'approche d'un train : surgissement brusque, violence du bruit :

> Une clameur de foule, dans son crâne, l'empêchait d'entendre (p. 416).
>
> On entendit le train [...] s'approcher avec un grondement qui grandissait (p. 69).
>
> Alors, il ne lutta plus [...] en proie à cette vision obstinée. Il entendait en lui le labeur décuplé du cerveau, un grondement de toute la machine (p. 299).

Pression de la machine surchauffée, pression de la folie montant dans le crâne du meurtrier, la violence couve et éclate, inéluctable. Jacques, pas plus que sa machine, n'a de véritable autonomie : le train fou du dernier chapitre (p. 460) est à l'image du criminel. Ce « train débridé, abandonné à lui-même » (p. 461), cette « bête aveugle et sourde qu'on aurait lâchée parmi la mort » (p. 462), n'est-ce pas la représentation du tueur, emporté de façon irrépressible par ses instincts que sa volonté ne contrôle plus ?

Le roman s'ouvre et se ferme – ne l'oublions pas – par un départ de train porteur de mort. Derrière la symétrie de la construction se profile une très nette intention symbolique, et ce n'est pas par hasard que, au moment même où Jacques accomplit le geste meurtrier qu'il portait depuis si longtemps en lui, un train passe, couvrant la scène de son vacarme : « Avait-elle crié ? il ne le sut jamais. À cette seconde, passait l'express de Paris, si violent, si rapide, que le plancher en trembla ; et elle était morte, comme foudroyée dans cette tempête » (p. 417).

8 La structure romanesque

UNE CONSTRUCTION SYMÉTRIQUE

Le roman se compose de deux parties égales de six chapitres chacune, représentant les deux étapes du destin de Séverine, qui la mène de Roubaud à Jacques (première partie, chap. I à VI), et de Jacques à la mort (deuxième partie, chap. VII à XII). Le roman se présente comme le parcours fatal d'un crime à l'autre :

> Les deux meurtres s'étaient rejoints, l'un n'était-il pas la logique de l'autre ? (p. 419).

Les deux chapitres extrêmes de *La Bête humaine* (chap. I et chap. XII) se terminent sur la même image symbolique : celle d'un train de mort :

> Quelques secondes encore, on put le suivre, dans le frisson noir de la nuit. Maintenant, il fuyait, et rien ne devait plus arrêter ce train lancé à toute vapeur (p. 62).

De même, à la fin du chapitre XII :

> [...] il roulait, il roulait, dans la nuit noire, on ne savait où, là-bas (p. 461).

Distribuées sur ce parcours, des scènes se font écho :
- l'assassinat de Grandmorin, entrevu (chap. II) et raconté (chap.VIII) ;
- l'aveu de Séverine à Roubaud (chap. I) et à Lantier (chap.VIII) ;
- les instructions des deux crimes à Rouen (chap. IV et chap. XII) ;
- les deux accidents de la Lison (chap. VII et chap. X).

LE RYTHME NARRATIF

L'action se déroule sur un peu moins de dix-huit mois, de la mi-février 1869 à la fin juillet 1870. Les deux parties du roman recouvrent des durées sensiblement différentes, puisque la première commence à la mi-février pour s'achever en décembre (soit dix mois et demi), et que la seconde commence en décembre pour s'achever fin juillet (sept mois et demi environ). La narration fournit des repères assez précis pour que le lecteur puisse suivre la chronologie des événements. Parfois, c'est même d'heure en heure (chap. I, X) que l'on peut suivre l'action.

Chronologie des événements et rythme narratif

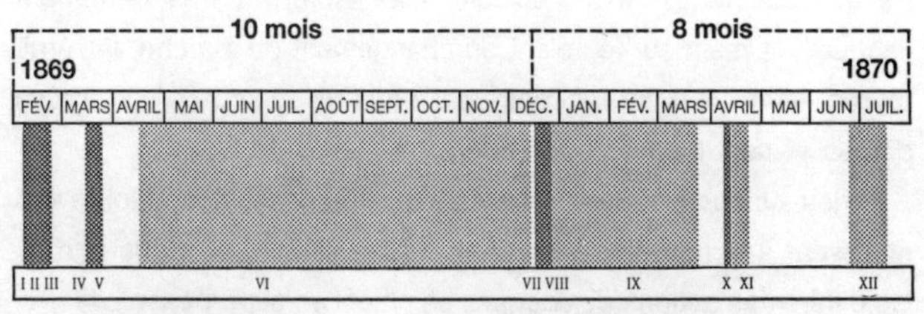

I : un après-midi de février
II : le même jour et la soirée
III : le lendemain matin
IV : 1er jour de la 2e semaine de mars
V : 2 jours après, de 11 h 15 à la nuit
VI : un mois plus tard ; et pendant 8 mois
VII : un vendredi (décembre ?)
VIII : le même jour, soir et nuit
IX : les trois mois suivants
X : d'un jeudi soir au vendredi dans la nuit (avril)
XI : le lendemain et la semaine suivante
XII : trois mois plus tard[1] et pendant trois semaines (fin juin-début juillet)

Chacune des deux parties débute avec un rythme narratif très lent : l'action des trois premiers chapitres de la première partie se déroule sur vingt-quatre heures environ. Il en est de même pour les chapitres VII et VIII sur lesquels s'ouvre la seconde partie.

D'autres chapitres, au contraire, ont un rythme narratif très rapide : ainsi les chapitres VI et IX recouvrent une action de plusieurs mois. Les indications temporelles deviennent alors plus floues : « une semaine après », « le mois suivant », etc. Car il s'agit de rendre sensible l'usure du temps sur les personnages et la dégradation de leurs rapports.

Lorsque le rythme narratif est très lent, il s'agit de descriptions ou de scènes. Parmi les descriptions, on peut noter que celle de la gare Saint-Lazare occupe tout le premier chapitre, pour une durée de trois heures. Quelques scènes également sont relatées à une vitesse très lente : crise morale de Jacques (chap. II : une heure environ, évoquée en 7 pages), la Lison prisonnière de la neige (chap. VII : deux heures, 15 pages).

Mais l'épisode le plus significatif est celui de l'accident du train, au chapitre X. Le romancier y témoigne d'un art très sûr pour jouer avec

1. Léger flottement : il est écrit au chapitre X : « nuit d'avril », et au début du chapitre XII : « Trois mois plus tard, par une tiède nuit de juin ».

le temps, dilater la durée, préfigurant certains effets cinématographiques comme celui du ralenti ou du faux raccord[1] : en effet, la durée « réelle » du choc de la Lison contre les blocs de pierres est de quelques secondes ; mais le lecteur a l'impression que le temps s'est figé : « Ce furent à peine dix secondes d'une terreur sans fin. [...] Pendant ce temps inappréciable, elle [Flore] vit très nettement Jacques, la main sur le volant du changement de marche. Il s'était tourné, leurs yeux se rencontrèrent dans un regard qu'elle trouva démesurément long » (p. 365-366).

Le jeu sur l'aspect des différents temps du passé donne toute son épaisseur à la narration : imparfait, passé simple, plus-que-parfait, les différentes actions de Jacques semblent se superposer :

> Jacques, à ce moment suprême, [...] regardait sans voir. [...] Il vit tout, comprit tout. [...] C'était l'inévitable. Violemment, il avait tourné le volant du changement de marche (p. 367-368).

La scène est rapportée selon deux points de vue inverses : celui du conducteur, Jacques (p. 368), avec même un effet de retour en arrière sur le début de son voyage (p. 365), et celui des témoins, et plus particulièrement de Flore, qui assistent du quai à l'accident (p. 365-366).

Le rythme narratif était l'une des grandes préoccupations du romancier : « Je voudrais que mon œuvre elle-même fût comme le parcours d'un train considérable, partant d'une tête de ligne pour arriver au débarcadère final, avec des ralentissements et des arrêts à chaque station, c'est-à-dire à chaque chapitre[2]. »

LES LEITMOTIVE

La récurrence[3] des mêmes formules, ou des mêmes thèmes, assimile *La Bête humaine* à une œuvre musicale. « Ce que vous nommez répétitions se trouve dans tous mes livres », écrit Zola qui ajoute : « Il y a là quelque chose de semblable aux leitmotive de Wagner. »

Les deux leitmotive du roman sont la bestialité et le progrès.

---

1. Procédé de montage utilisé notamment par S. M. Einsenstein (*Octobre, Potemkine*) pour donner l'illusion d'un mouvement interminable.
2. Cité par Henri Mitterand, *Les Rougon-Macquart*, Éd. Gallimard, « Bibliothèque de la Pléiade », tome IV, p. 1712.
3. *Récurrence* : retour régulier.

La bestialité

Le leitmotiv de la bestialité primitive est presque toujours lié au personnage de Jacques, et le plus souvent intégré au monologue intérieur de ce dernier, quand il sent venir ses crises de folie homicide révélant « une sauvagerie qui le ramenait avec les loups mangeurs de femmes, au fond des bois » (p. 85). Il s'interroge, angoissé : « Cela venait-il donc de si loin, du mal que les femmes avaient fait à sa race [...] depuis la première tromperie au fond des cavernes ? » (p. 86 ; la même phrase est reprise textuellement p. 228 et 416). Des variantes du même thème apparaissent pages 89, 302, 303, 419.

Le progrès

On peut remarquer que le leitmotiv du progrès est presque toujours associé à la famille Misard. Gardes-barrière, ils voient défiler en permanence les trains, porteurs d'une foule indifférente aux drames qu'ils vivent : « De jour et de nuit, continuellement, il défilait tant d'hommes et de femmes. [...] Bien sur que la terre entière passait là. [...] Ça, c'était le progrès, tous frères, roulant tous ensemble, là-bas, vers un pays de cocagne » (p. 71). Cette phrase de Phasie est reprise presque textuellement pages 72 et 270. Mais la reprise par Misard et par Flore de ce motif obsessionnel (p. 260, 350, 374) souligne leur solitude morale et l'inconsciente cruauté du monde moderne. Le désespoir de Jacques, terrassé au bord de la voie ferrée par sa crise morale (chap. II), est de même nature : « Ah ! oui, tout ce monde qui passait, le continuel flot, tandis que lui agonisait là ! » (p. 84).

Enfin, le narrateur reprend lui-même le thème du progrès lorsque, après avoir décrit les cadavres de Grandmorin et de Flore (chap. II et X), il élargit sa vision : « Tous [les trains] se croisaient, dans leur inexorable puissance mécanique, filaient à leur but lointain, à l'avenir, en frôlant, sans y prendre garde, la tête coupée à demi de cet homme qu'un autre homme avait égorgé » (p. 98) ; « Ils passaient inexorables, avec leur toute-puissance mécanique, indifférents, ignorants de ces drames et de ces crimes » (p. 387).

9 Un roman naturaliste

QU'EST-CE QUE LE NATURALISME ?

Le naturalisme est un mouvement littéraire qui a marqué le roman français entre les années 1865 et 1890, et dont Zola fut le promoteur et le chef de file.

Les origines du naturalisme

Le mouvement naturaliste est le prolongement et la systématisation du réalisme, et considère Balzac comme un précurseur. Balzac voulait dans ses romans « concurrencer l'état civil » et prétendait faire avec *La Comédie humaine* le tableau de toute la société de son temps. Celle-ci, selon lui, reposait sur des lois identiques à celles qui régissent la nature et pouvait donc être étudiée comme elle : « Je vis que la société ressemblait à la nature [...]. Il a donc existé, il existera de tout temps des espèces sociales comme il y a des espèces zoologiques[1]. » Le rôle de l'art est donc, pour le réalisme, de décrire la réalité et, pour ce faire, de s'ouvrir à tous les milieux, même populaires, à tous les sujets, même triviaux. Les tableaux de Courbet ou de Manet firent scandale à leur époque parce qu'ils représentaient des gens du peuple, des courtisanes ou des « parties fines » au bord de l'eau[2].

Le mouvement naturaliste[3], dont Émile Zola fut le théoricien et le chef, reprend et systématise ce programme. Zola, en faisant de

---

1. Balzac, Avant-propos de *La Comédie Humaine* (1842).
2. Ainsi, de Courbet : *L'Enterrement à Ornans* (1849), *Les Casseurs de pierre* (1850), *Les Demoiselles du bord de Seine* (1857) ; de Manet : *Le Déjeuner sur l'herbe* (1862), *Olympia* (1865).
3. Illustré, entre autres, par Guy de Maupassant (1853-1893), Joris-Karl Huysmans (1848-1907), Henry Céard (1851-1924), Paul Alexis (1847-1901).

Flaubert un modèle, définit ainsi, à partir de *Madame Bovary* et de *L'Éducation sentimentale*[1], le concept du naturalisme : « Le premier caractère du roman naturaliste, dont *Madame Bovary* est le type, est la reproduction exacte de la vie » ; il repose sur « la négation du romanesque dans l'intrigue, le rapetissement des héros à la taille humaine, les proportions justes observées dans les moindres détails[2] ».

Le modèle scientifique

Le naturalisme, pour serrer au plus près la réalité, s'inspire de la démarche scientifique. Il retient de Darwin[3] le principe de la transmission héréditaire des caractères ; du positivisme d'Auguste Comte[4], l'absolue nécessité de l'étude des faits, pour la science comme pour la philosophie.

L'ouvrage de Claude Bernard, *Introduction à l'étude de la médecine expérimentale* (1865), fixait la méthode de la recherche scientifique, fondée sur l'observation et l'expérimentation. C'est sur ce modèle que Zola établit sa méthode romanesque : « Toute l'opération consiste à prendre les faits dans la nature, puis à étudier le mécanisme des faits en agissant sur eux par les modifications des circonstances et des milieux[5]. »

Zola reprend également à son compte la théorie du philosophe Hippolyte Taine[6], selon laquelle les hommes subissent la triple détermination de leur race, du milieu et de l'époque où ils vivent. Deux des formules les plus frappantes de Taine sont : « Le vice et la vertu sont des produits comme le vitriol et le sucre », et « le roman n'est qu'un amas d'expériences ». C'est surtout sur le déterminisme de l'hérédité que se fixe l'attention du romancier, le milieu et les circonstances jouant le rôle de catalyseurs.

Le traité du Docteur Lucas sur *L'Hérédité naturelle*[7] a fourni au romancier son hypothèse de travail. La famille des Rougon-Macquart

1. *Madame Bovary*, 1857 ; *L'Éducation sentimentale*, 1869.
2. Zola, *Les Romanciers naturalistes*, 1881.
3. Darwin, *L'Origine des espèces*, 1859.
4. Comte, *Cours de philosophie positive*, 1830-1842.
5. Zola, *Le Roman expérimental*,

en sera l'illustration : « Physiologiquement, ils sont la lente succession des accidents nerveux et sanguins qui se déclarent dans une race, à la suite de la première lésion organique[1]. » Zola pose donc en postulat que les hommes sont déterminés par des lois aussi rigoureuses que celles de la nature, et que le psychique et le physique sont indissolublement liés.

La réalité dépassée

Flaubert refusait de s'enfermer dans « l'ignoble réalité » qui, selon lui, « ne devait être qu'un tremplin ». Pour le naturalisme également, l'artiste doit savoir se détacher du réel pour laisser sa part à l'imaginaire et à la création esthétique.

Zola reprend l'image de Flaubert : « J'ai l'hypertrophie du détail vrai, le saut dans les étoiles sur le tremplin de l'observation exacte. La vérité monte d'un coup d'aile jusqu'au symbole[2]. » Maupassant insiste lui aussi sur ce dépassement de la réalité indispensable à toute œuvre d'art : « Le réaliste, s'il est un artiste, cherchera, non pas à montrer la photographie banale de la vie, mais à nous en donner la vision la plus complète, plus saisissante, plus probante que la réalité même[3]. »

LA BÊTE HUMAINE, UN ROMAN NATURALISTE

Les principes du roman « scientifique »

La Bête humaine doit être classé parmi ceux des romans de la série des *Rougon-Macquart* qui illustrent de la façon la plus évidente les principes et les méthodes du naturalisme. En effet, la triple détermination de l'hérédité, du milieu et des circonstances s'exerce sur le personnage de Jacques (p. 25-26, 35-37). Quant aux autres, Roubaud, Séverine, Flore (p. 27-28, 33-34), même s'ils échappent à la tare héréditaire, ils sont cependant soumis à leurs instincts et

1. Préface de *La Fortune des Rougon*, 1869.
2. Lettre à Henry Céard, 1885.
3. Dans « Le roman », préface de *Pierre et Jean* (1888).

subissent également l'emprise du milieu et du moment, influence qui ne leur laisse, à eux non plus, aucune issue.

Le romancier, fidèle à son propos, se présente comme un témoin et comme un observateur de la réalité ; il ne recule jamais devant ce qu'elle peut avoir de violent ou de sordide. Le souci constant d'*observation* et d'*expérimentation* se vérifie dans les dossiers préparatoires de tous les romans de Zola, et celui de *La Bête humaine* ne manque pas à la règle[1]. Les lieux et les objets sont décrits sans surcharge, mais avec ce qu'il faut de précision pour leur conférer immédiatement un caractère d'authenticité. La description zolienne, qui ne prend jamais la forme de certains « inventaires » balzaciens, ne sélectionne que les détails les plus significatifs, les plus chargés de ces « effets de réel » qui situent l'ambiance d'un lieu. Ainsi, au chapitre I, après une brève esquisse de la chambre de l'impasse d'Amsterdam, le romancier décrit les préparatifs du repas que prendront Roubaud et Séverine, complétant par ces détails les autres indices d'un milieu assez populaire. Au chapitre VI, il insiste surtout sur le dépôt de la gare du Havre, la cantine et le repas de Pecqueux (p. 225). Certaines de ces descriptions soulignent la laideur ou la trivialité des décors pour mettre en évidence l'emprise du milieu sur les personnages. Il en est de même pour les passages relatifs à l'appartement des Roubaud (chap. II, p. 112 ; chap. VI, p. 207) et à la maison des Misard (chap. XI, p. 63).

Par ailleurs, la documentation technique qu'il a rassemblée sur le milieu ferroviaire permet à Zola de désigner par le terme juste les machines, les manœuvres, les gestes professionnels, en insérant ces précisions, pour qu'elles apparaissent naturellement, par le biais de la pensée ou des propos des personnages (p. 33, 34, 198, 200, 201).

Le même souci d'exactitude pousse le romancier à ne rien cacher de ce que la réalité peut avoir de trivial, de déplaisant ou même d'horrible. Nous avons constaté (voir ci-dessus, « *La Bête humaine*, roman du crime », p. 65) que le désir de tout montrer de cette réalité

1. Voir l'étude de Henri Mitterand dans *Les Rougon-Macquart*, Éd. Gallimard, « Bibliothèque de la Pléiade », tome IV.

pouvait conduire Zola au-delà des limites du bon goût. Les réflexions de Misard après qu'il a empoisonné Phasie, en sont un exemple : « Depuis qu'elle se doutait du coup, ce n'était plus dans le sel, c'était dans ses lavements qu'il mettait de la mort aux rats [...] il en ricanait comme d'une bonne histoire, de la drogue avalée si innocemment par le bas, quand elle surveillait avec tant de soin ce qui entrait par le haut » (p. 350 ; sur le même sujet, voir p. 351 la fouille obscène du cadavre).

Les droits de l'art : le réalisme dépassé

Cependant – et aucun de ses contemporains ne s'y est trompé – l'imagination de Zola n'est en rien bloquée par ce réalisme. Il sait s'en dégager pour atteindre à une autre vérité, plus puissante encore, celle de l'art : « Peu m'importe, écrit-il, que l'écrivain déforme la réalité, la marque de son empreinte, s'il doit la rendre curieusement travaillée et toute chaude de sa personnalité. » De façon fulgurante, le romancier *transfigure* le réel en vision fantastique, en scène épique ou en tableau impressionniste.

LA VISION FANTASTIQUE

L'imagination de Zola donne fréquemment à des lieux, à des machines, à des êtres, une présence inquiétante et une puissance qui sort des normes du réel : ainsi l'alambic de *L'Assommoir* ou le puits de mine du Voreux dans *Germinal* sont-ils tous deux transformés en véritables monstres dévoreurs d'hommes.

Les trains

Les trains de *La Bête humaine* eux aussi peuvent apparaître sous l'aspect d'êtres monstrueux et malfaisants, puissances des ténèbres associées aux éléments déchaînés : « Il passa comme en un coup de foudre, ébranlant, menaçant d'emporter la maison basse au milieu d'un vent de tempête » (p. 69) ; « Le train passait, dans sa violence d'orage, comme s'il eût tout balayé devant lui » (p. 75) ; « On l'entendit sortir du tunnel, souffler plus haut dans la campagne.

Puis il passa, dans le tonnerre de ses roues [...] d'une force invincible d'ouragan » (p.70). Les mêmes images se retrouvent pages 87 et 90.

Le fanal de la locomotive devient un œil géant, analogue à celui des Cyclopes[1]. Jaillissant du tunnel comme d'une caverne, la machine apparaît comme une puissance de destruction (p. 90, 242, 247) :

> [...] l'effroyable grondement approchait, ébranlant la terre d'un souffle de tempête, tandis que l'étoile était devenue un œil énorme, toujours grandissant, jaillissant de l'orbite des ténèbres (p. 385).

Le réseau ferré lui-même devient un être monstrueux : « C'était comme un grand corps, un être géant couché en travers de la terre, la tête à Paris, les vertèbres tout le long de la ligne, les membres s'élargissant avec les embranchements, les pieds et les mains au Havre et dans les autres villes d'arrivée » (p. 75).

Les paysages

Les paysages également peuvent se muer en espaces inquiétants, tel celui qu'a insensiblement métamorphosé la tempête de neige, au chapitre VII, enlevant à Jacques tous ses repères et le livrant, avec la Lison, à la nuit, laquelle favorise la montée de l'hallucination :

> Ce n'était plus qu'une plaine rase et sans fin, un chaos de blancheurs vagues, où la Lison paraissait galoper à sa guise, prise de folie. [...] Ce qu'il s'imaginait distinguer, au-delà du pullulement pâle des flocons, c'étaient d'immenses formes noires, des masses considérables, comme des morceaux géants de la nuit, qui semblaient se déplacer (p. 247).

Lantier croit fuir dans un rêve, et son imagination peuple la nuit de « brusques étincelles sanglantes » (p. 244). Ce fantastique est très voisin de celui des contes de Guy de Maupassant, contemporain et disciple de Zola, qui excelle à créer l'angoisse à partir d'une transformation progressive du réel (voir *Sur l'eau, La Nuit, La Peur, Le Horla,* etc.).

1. Personnages de la mythologie grecque associés aux activités souterraines et aux volcans, dont leur œil unique représentait le cratère.

Les êtres

Certains êtres mêmes sont dotés d'une présence inquiétante : le cadavre de Phasie semble railler une dernière fois les efforts désespérés de son assassin, Misard, à la recherche du magot. Cependant, à aucun moment, le lecteur n'est tenté de donner au phénomène une explication surnaturelle : l'hallucination est bien celle de Misard lui-même. Mais les effets d'horreur sont saisissants :

> Vainement, Misard, qui attendait près de son lit, avait essayé de lui fermer les paupières : les yeux obstinés restaient ouverts, la tête s'était raidie, penchée un peu sur l'épaule, comme pour regarder dans la chambre, tandis qu'un retrait des lèvres semblait les retrousser d'un rire goguenard (p. 349).

Lorsque Flore veille sa mère, le même tableau s'offre à elle : « Une rafale souffla, les murs tremblèrent, et sur le visage blanc de la morte, passa un reflet de fournaise, ensanglantant les yeux ouverts et le rictus ironique des lèvres » (p. 358).

LA SCÈNE ÉPIQUE

Les hommes

Nous avons déjà signalé (voir « Les personnages », p. 51) l'utilisation du registre épique à propos du personnage de Flore, assimilée à une « géante, une vierge guerrière ». Jacques, une seule fois dans le roman, au cours de son voyage dans la neige (chap. VII), est grandi à la dimension d'un chevalier héroïque en lutte pour un noble enjeu (la vie de Séverine), contre des forces surnaturelles (la neige, le froid, la nuit, ici terrifiante).

La Lison

La Lison devient la « cavale » (c'est le terme épique désignant la monture du chevalier), qui participe à l'épreuve : « La Lison, avec cet homme accroché à son flanc, continuait sa course haletante, dans la nuit, parmi l'immense couche blanche. [...] Elle-même n'avait que des bordures d'hermine, habillant ses reins sombres » (p. 246-252). Lorsqu'une barrière de neige lui fait obstacle, forcée par son cavalier, elle lutte de toute sa puissance : « Chaque fois, la Lison, raidissant les reins, buta du poitrail, avec son souffle enragé de géante » (p. 256).

Elle garde dans l'agonie et dans la mort (chap. x) la même noble grandeur :

> Semblable à une *cavale monstrueuse* décousue par quelque *formidable* coup de corne [...], la Lison montrait ses bielles tordues [...], toute une affreuse plaie bâillant au plein air, par où l'âme continuait de sortir, avec un *fracas* d'enragé désespoir (p. 369).
>
> Son âme s'en allait avec la force qui la faisait vivante, cette haleine *immense* dont elle ne parvenait pas à se vider toute. La *géante* éventrée s'apaisa encore, s'endormit peu à peu d'un sommeil très doux, finit par se taire. Elle était morte. Et le tas de fer, d'acier et de cuivre, qu'elle laissait là, ce *colosse* broyé [...] prenait l'affreuse tristesse d'un cadavre humain, énorme, de *tout un monde* qui avait vécu et d'où la vie venait d'être arrachée, dans la douleur (p. 377).

On peut noter dans ce passage remarquable comment Zola joue sur le double registre du mécanique et du vivant, et utilise le lexique épique de la démesure (voir les termes soulignés par nous en italique).

LES TABLEAUX IMPRESSIONNISTES

L'univers des machines

Les peintres impressionnistes, contemporains et amis de Zola, aussi sensibles aux beautés du monde moderne qu'à celles des paysages, ont consacré des tableaux aux trains et aux gares. Parmi eux, citons Cézanne, Manet, Pissarro, Caillebotte, et surtout Monet, dont Zola était un fervent admirateur. Ses tableaux : *Le Pont de l'Europe* (1877 ; au-dessus des voies ferrées de la gare Saint-Lazare), *Le Pont sur la Seine à Argenteuil* (1872) et *La Gare Saint-Lazare* (1877) ont touché le romancier, qui écrit dans le journal *Le Sémaphore de Marseille* : « On y entend le grondement des trains qui s'engouffrent, on y voit des débordements de fumée qui sortent de vastes hangars. Là est aujourd'hui la peinture, dans des cadres modernes d'une si belle largeur. Nos artistes doivent trouver la poésie des gares comme leurs pères ont trouvé celle des forêts et des fleuves[1]. »

1. Cité par Henri Mitterand, *Les Rougon-Macquart, op. cit.*, tome IV.

Il proteste aussi : « Pourquoi trouver une gare laide ? C'est très beau, une gare[1]. » Et, de fait, les jeux des fumées blanches et noires, la chute du jour sur la gare et ses environs, le mouvement permanent des formes vagues à l'arrière-plan composent un véritable tableau.

Zola, après Monet, excelle à dégager la beauté de cet univers de machines. Les images (comparaisons, métaphores) s'accumulent, dont le poète joue comme un peintre des couleurs : Il vit alors déborder du pont cette blancheur qui foisonnait, tourbillonnante comme un duvet de neige, envolée à travers les charpentes de fer [...] tandis que les fumées accrues de l'autre machine élargissaient leur voile noir » (p. 28-29) ; « Une cendre crépusculaire, noyant les façades, semblait tomber déjà sur l'éventail élargi des voies. [...] Par-delà les nappes sombres des grandes halles couvertes, sur Paris obscurci, des fumées rousses, déchiquetées, s'envolaient » (p. 44).

La neige

Le chapitre VII est lui aussi chargé d'images saisissantes. La Lison dans la neige est assimilée à un navire dans la tempête : « La machine filait comme un paquebot, laissant un sillage » (p. 251) ; « Les vastes champs plats [...] n'étaient plus qu'une mer blanche, à peine renflée de courtes vagues, une immensité blême et tremblante » (p. 249) ; « Il sembla qu'elle allait s'immobiliser, ainsi qu'un navire qui a touché un banc de sable » (p. 252). L'ensemble du chapitre VII est un tableau de blancheur ; toutes les nuances de blanc sont juxtaposées : « La lumière éclatante du fanal était comme mangée par ces épaisseurs blafardes qui tombaient » (p. 243) ; « La voie apparaissait sous une sorte de brouillard laiteux » (*ibid*) ; « Maintenant, le jour se levait, très pâle ; et il semblait que cette lueur livide vînt de la neige elle-même » (p. 249) ; « À peine en distinguait-on la pâleur au ciel, dans l'immense tourbillon blanchâtre qui emplissait l'espace » (p. 248).

De tels tableaux témoignent du regard d'artiste que Zola savait jeter sur les choses, lorsqu'il entendait s'échapper de l'univers oppressant qu'il avait choisi de décrire.

---

1. Lettre à Paul Bourget, 1870.

0 Le sens de l'œuvre

LES LIMITES DU SCIENTISME

On a pu railler l'utilisation systématique et souvent abusive que faisait Zola des théories scientifiques, en prétendant les appliquer au roman. En effet, si la nature impose au savant les faits qu'il observe et dont il tire les lois, le romancier, lui, est maître de ses personnages, et l'« expérience » est donc truquée au départ. Les lois de l'hérédité sont moins déterminantes que le romancier voulait le croire et, déjà, ses contemporains remettaient en question le principe de base de la série des *Rougon-Macquart*, en en dénonçant les *a priori* : « Vous choisissez un caractère, ou, comme vous dites, un tempérament ; vous voulez en démonter et remonter le mécanisme [...] ; vous éliminez de votre roman expérimental ce qu'il y a peut-être de plus intéressant pour l'homme, et de plus vivant, au plein sens du mot, à savoir : la tragédie d'une volonté qui pense[1]. » Zola lui-même reconnaissait ce qu'il y avait d'aventureux dans sa méthode : « La science n'est pas encore assez avancée pour qu'on puisse déterminer tous les éléments dont se compose l'homme. Il reste au fond de la cornue des matières difficiles à analyser. À force de patience nous y parviendrons sans doute un jour[2]. »

En 1893, le romancier faisait honnêtement le point sur son œuvre : « Nous n'avons juré que par la science, qui nous enveloppait de toutes parts ; nous avons vécu d'elle, en respirant l'air de l'époque. À cette heure, je puis même confesser que, personnellement, j'ai été un sectaire, en essayant de transposer dans le domaine des lettres la rigide méthode du savant[3]. »

1. F. Brunetière, cité par H. Bornecque et M. Cogny, dans *Réalisme et naturalisme*, Éd. Hachette, p. 60.
2. *Ibid.*, p. 104.
3. *Ibid.*, p. 113.

Mais, même si, au nom du déterminisme rigoureux de l'hérédité, Zola condamne d'avance Jacques Lantier à tuer, sans échappatoire possible, même si l'explication et la description de ses crises, et de ce que Zola appelle indifféremment « fêlure » ou « névrose », peuvent apparaître sommaires ou dépassées au regard de la psychiatrie moderne, la vérité et l'intensité dramatique de ses luttes intérieures n'en sont pas pour autant altérées. L'art de Zola aura été, entre autres, de dépasser les limites d'une théorie trop contraignante pour la création romanesque, laquelle restait son souci essentiel : « Ai-je donné mon souffle à mes personnages, ai-je enfanté un monde, ai-je mis sous le soleil des êtres de chair et de sang, aussi éternels que l'homme ? Si oui, ma tâche est faite, et peu importe où j'ai pris l'argile[1]. »

UNE ŒUVRE PESSIMISTE

La Bête humaine est, indiscutablement, l'un des romans les plus noirs de Zola. La violence et la mort, nous l'avons vu, y sont omniprésentes. Le roman ne compte pas moins de sept morts violentes, auxquelles s'ajoutent celles que provoque l'accident du train, au chapitre x, et qu'entraînera sans doute le déraillement qui guette la machine lancée sans conducteur à la fin du dernier chapitre.

Les personnages sont habités par les passions et les vices : jalousie féroce, rapacité sournoise, débauche, folie homicide, hypocrisie. Nulle pitié, nul remords n'attendrissent les meurtriers, qui souffrent eux-mêmes une véritable agonie morale, comme Flore au chapitre x, ou Jacques Lantier tout au long du roman.

Car la fatalité, celle de l'hérédité ou celle du milieu et des circonstances, prive les personnages de leur liberté. Jacques Lantier, surtout, assume le poids de la « névrose héréditaire ». Aucune de ses fuites ne l'en débarrassera : « Obscurément, cela avait germé, avait grandi en lui ; pas une heure, depuis un an, sans qu'il eût marché vers l'inévitable » (p. 419).

1. Réponse à G. Deschamps (1896), citée dans *Réalisme et naturalisme*, Éd. Hachette, p. 119.

La société est, elle aussi, corrompue : arrivisme, débauche, chantage, sont le fait des notables ; cupidité, mesquinerie, envie, celui du menu peuple. La justice elle-même n'est qu'une comédie : on enverra un innocent au bagne pour sauver la réputation d'un grand bourgeois et protéger le pouvoir.

Le progrès lui-même, dont on pouvait attendre qu'il fût un facteur de solidarité et de bonheur, n'est qu'un leurre. Les trains, qui le symbolisent, sont tous associés à la violence. « Inéxorables » (le mot revient trois fois), ils foncent vers un avenir symbolisé par la nuit sombre (chap. I, II, X et XI).

La dernière phrase du roman reprend les différents messages pessimistes de l'ouvrage : fatalité obscure, instincts débridés, cruauté individuelle ou collective, ravages de l'alcool : « Sans conducteur, au milieu des ténèbres, en bête aveugle et sourde qu'on aurait lâchée parmi la mort, elle roulait, chargée de cette chair à canon, de ces soldats, déjà hébétés de fatigue, et ivres, qui chantaient » (p. 461-462).

Ne nous y trompons pas : le dernier mot du roman n'est pas une note d'espoir : il est l'expression d'une profonde dérision, et nous sommes loin des promesses d'avenir lumineux de *Germinal*. Il faudra attendre *Le Docteur Pascal*, qui sert, nous l'avons dit, de conclusion à la série des *Rougon-Macquart*, pour trouver – ou retrouver – un Zola confiant en l'homme et dans le progrès : « Le mal n'était qu'un accident, encore inexpliqué ; l'humanité apparaissait, de très haut, comme un immense mécanisme en fonction, travaillant au perpétuel devenir[1]. »

LA BÊTE HUMAINE ET LES LECTEURS D'AUJOURD'HUI

Un siècle nous sépare de *La Bête humaine*. Familiarisés avec les trains à grande vitesse, pouvons-nous encore considérer l'express du Havre comme un « monstre dévorant » ? Cernés d'horreur par les médias, frémirons-nous comme les contemporains de Zola aux

1. *Le Docteur Pascal*, in *Les Rougon-Macquart*, Éd. Gallimard, « Bibliothèque de la Pléiade », tome V, p. 1210.

scènes de violence du roman ? À la lumière des données de la psychanalyse moderne, si superficielle qu'en soit notre approche, trouverons-nous crédible cette étude de la pathologie d'un criminel ?

Cependant, malgré la distance critique qu'impose à notre lecture ce décalage d'un siècle, si nous consentons à nous laisser emporter par cette belle et sombre histoire, nous pourrons découvrir en Zola « le poète du fond ténébreux de l'homme[1] ».

1. Jules Lemaître, *Le Figaro*, 8 mars 1890.

TROISIÈME PARTIE

Cinq lectures méthodiques

Texte 1 | Chapitre I

(*La Bête humaine*, pages 27 à 28)

En entrant dans la chambre, Roubaud posa sur la table le pain d'une livre, le pâté et la bouteille de vin blanc. Mais le matin, avant de descendre à son poste, la mère Victoire avait dû couvrir le feu de son poêle, d'un tel poussier, que la 5 chaleur était suffocante. Et le sous-chef de gare, ayant ouvert une fenêtre, s'y accouda.

C'était impasse d'Amsterdam, dans la dernière maison de droite, une haute maison où la Compagnie de l'Ouest logeait certains de ses employés. La fenêtre, au cinquième, 10 à l'angle du toit mansardé qui faisait retour, donnait sur la gare, cette tranchée large trouant le quartier de l'Europe, tout un déroulement brusque de l'horizon, que semblait agrandir encore, cet après-midi là, un ciel gris du milieu de février, d'un gris humide et tiède, traversé de soleil.

15 En face, sous ce poudroiement de rayons, les maisons de la rue de Rome se brouillaient, s'effaçaient, légères. À gauche, les marquises des halles couvertes ouvraient leurs porches géants aux vitrages enfumés, celle des grandes lignes, immense, où l'œil plongeait, et que les bâtiments de la poste 20 et de la bouillotterie séparaient des autres, plus petites, celles d'Argenteuil, de Versailles et de la Ceinture ; tandis que le pont de l'Europe, à droite, coupait de son étoile de fer la tranchée, que l'on voyait reparaître et filer au-delà, jusqu'au sommet du tunnel des Batignolles. Et, en bas de la fenêtre même, 25 occupant tout le vaste champ, les trois doubles voies qui sortaient du pont se ramifiaient, s'écartaient en un éventail dont les branches de métal, multipliées, innombrables, allaient se perdre sous les marquises. Les trois postes d'aiguilleur, en avant des arches, montraient leurs petits jardins nus. Dans 30 l'effacement confus des wagons et des machines encombrant les rails, un grand signal rouge tachait le jour pâle.

INTRODUCTION

Situer le passage

Il s'agit de l'ouverture du roman. Selon le procédé qui lui est familier, Zola met en place ses personnages dans un décor. Roubaud, sous-chef de gare au Havre, attend sa femme Séverine dans une chambre de la maison appartenant à la Compagnie des chemins de fer de l'Ouest, donnant sur la gare Saint-Lazare. Il se met à la fenêtre et regarde au dehors.

Dégager des axes de lecture

Ce texte nous invite à étudier comment la mise en place du décor et des personnages, selon le propos et la méthode des naturalistes, ancre l'histoire dans le réel. Mais cette description se double d'éléments poétiques ou symboliques qui relèvent de la vision de l'artiste et qui font du début du roman la véritable matrice de l'œuvre tout entière.

PREMIER AXE DE LECTURE LA MISE EN PLACE DU DÉCOR ET DES PERSONNAGES

Le récit commence, comme souvent chez Zola (voir *L'Asssommoir*, *Au Bonheur des Dames*, *Germinal*...), par l'entrée d'un personnage dans un décor.

Le texte s'organise selon un mouvement qui va de l'intérieur, la chambre (premier paragraphe), vers l'extérieur, le quartier de l'Europe (deuxième et troisième paragraphes).

Les personnages et le décor intérieur

Les personnages et le décor sont supposés connus du lecteur, puisque Roubaud est nommé sans autre information à son sujet (l. 1), et que l'article défini est employé pour « *la* chambre » (l. 1), sans autre précision.

Des détails signifiants connotent un milieu populaire : la façon dont sont nommés les personnages : « *la mère* Victoire » (l. 3) ;

Roubaud, désigné par son seul nom de famille, sans que son prénom soit indiqué (l. 1) ; la nourriture qu'il apporte : « le pain d'une livre, le pâté et la bouteille de vin » (l. 2).

Les informations seront distribuées peu à peu :
– sur le métier de Roubaud : il est « sous-chef de gare au Havre » (l. 5) ;
– sur la chambre, « où la Compagnie de l'Ouest logeait certains de ses employés » (l. 8-9) ;
– sur le quartier, délimité de façon précise : « impasse d'Amsterdam », « quartier de l'Europe », « rue de Rome » (l. 7, 11, 16).

La chambre elle-même n'est évoquée que par la chaleur étouffante du poêle surchauffé, allumé par la mère Victoire (l. 4-5). Cette indication introduit un premier élément de dysphorie[1] dans le texte, mais elle est surtout destinée à justifier qu'en plein hiver, au « milieu de février » (l.13-14), Roubaud éprouve le besoin d'ouvrir la fenêtre et de s'y accouder pour regarder au-dehors. (Le même procédé est adopté au début de *L'Assommoir*, où Gervaise, qui a attendu son compagnon Lantier toute la nuit, se met à la fenêtre pour guetter son arrivée.)

Le quartier de l'Europe

Il est évoqué de façon très précise. Zola, selon son habitude, a étudié sur place les lieux et fait des croquis. Il a observé à plusieurs reprises les voies et le trafic depuis le pont de l'Europe, et les renseignements techniques lui ont été communiqués par un professionnel (voir « *La Bête humaine*, roman du rail », p. 72).

Seule la gare Saint-Lazare n'est pas nommée : c'est inutile pour le lecteur, et encore plus si l'on considère que, très vite, le regard de Roubaud, qui relaie le point de vue du narrateur, identifie naturellement les lieux.

Le personnage occupe une position qu'en termes de cinéma on pourrait qualifier de « plongée » : il observe la gare et les voies du haut du cinquième étage (l. 9) d'où « l'œil plong[e] » (l. 19). Le trajet de son regard constitue, toujours en termes de cinéma, un lent

1. *Dysphorie* (contraire d'euphorie) : sentiment de malaise.

« panoramique » : il voit d'abord « l'horizon » et le « ciel » (l. 12 et 13), puis, se rapprochant, regarde « en face » (l. 15), « à gauche » (l. 16), « à droite » (l. 22), pour venir « en bas de la fenêtre même » (l. 24). Grâce à ce procédé, tout un paysage urbain se dessine progressivement : les maisons de la rue de Rome (l. 16), le tunnel des Batignolles (l. 24).

Mais c'est surtout la gare qui est au cœur de la description, comme elle le sera tout au long du chapitre, au fur et à mesure que tombera la nuit et qu'évoluera l'état d'âme des personnages.

Les détails sont précis, car c'est un professionnel qui s'intéresse aux lieux et identifie naturellement « les marquises[1] des halles couvertes » (l. 17), « les grandes lignes » (l. 18), les lignes de banlieue, « d'Argenteuil, de Versailles et de la Ceinture » (l. 21), « les bâtiments de la poste et de la bouillotterie » (l. 19-20). Dans ce tableau urbain où dominent les structures de métal, « l'étoile de fer » du pont de l'Europe (l. 22), « les branches de métal » des voies (l. 27), la nature est réduite à une place dérisoire : les « petits jardins nus » des postes d'aiguilleurs (l. 29).

DEUXIÈME AXE DE LECTURE
LA VISION DE L'ARTISTE

Un tableau impressionniste

On sait que les impressionnistes avaient choisi d'ouvrir la peinture à des sujets nouveaux : les rues et les cafés du Paris moderne, les gares, les ponts, les trains. Caillebotte a peint le pont de l'Europe, Claude Monet également, qui consacra une dizaine de toiles à la gare Saint-Lazare, représentée à différents moments de la journée et sous des angles différents. Dans le tableau que brosse ici Zola, les lignes diagonales du pont de l'Europe, « l'éventail » des « trois doubles voies », structurent l'espace et constituent les lignes de fuite. L'arrière-plan est sans limites : Roubaud contemple « tout un déroulement brusque de l'horizon, que semblait agrandir encore [...] un ciel gris [...] » (l. 12-13). La couleur dominante du tableau, le gris, rappelle celle de plusieurs des toiles de Monet : gris du métal des

1. Une *marquise* est une sorte de verrière, d'auvent.

voies (l. 27), « étoile de fer » des structures du pont (l. 22), gris du ciel, « un ciel gris du milieu de février » (l. 13-14), et du « jour pâle » (l. 31).

Les effets de lumière tamisée produits par le soleil perçant à travers la brume renvoient également à la technique du peintre, et transfigurent le réalisme de la description : le ciel gris, « traversé de soleil » (l. 14), s'éclaire d'un « poudroiement de rayons » (l. 15).

On peut noter ici un effet de correspondance entre les sens : les adjectifs « humide » et « tiède », qui appartiennent au vocabulaire tactile, sont transposés dans le domaine visuel.

Le flou du tableau relève aussi de la vision impressionniste :
– les constructions semblent bouger et disparaître : « les maisons de la rue de Rome se brouillaient, s'effaçaient, légères » (l. 15-16). Les trains eux-mêmes n'apparaissent qu'indistinctement à travers la brume et les fumées sortant des locomotives ;
– sous les « vitrages enfumés » (l. 18), on n'aperçoit que « l'effacement confus des wagons et des machines [...] » (l. 30).

Un monde démesuré et vivant

La gare apparaît comme un monde démesuré : les marquises ont des « porches géants » (l. 17-18), celle des grandes lignes est « immense » (l. 19), les branches de l'éventail des rails sont « multipliées, innombrables » (l. 27).

Mais la gare est aussi, et surtout, un monde vivant où les choses sont douées d'une vie propre. Dans les phrases, celles-ci sont toujours sujets de verbes actifs indiquant un mouvement : les marquises « ouvraient » (l. 17) leurs porches, le pont de l'Europe « coupait » la tranchée (l. 22) que l'on voyait « filer » (l. 23), les voies « sortaient du pont, s'écartaient » (l. 25-26), « allaient se perdre » (l. 27-28).

Les signes du drame futur

Mais cette vision impressionniste se charge d'éléments symboliques qui apparaissent sous forme de termes et d'images appartenant au lexique de la violence et de la mort, auxquels seule une lecture rétrospective est capable de donner leur sens, mais qui, discrètement, laissent pressentir déjà le drame dès la première page du roman.

Le lexique de la violence est représenté par des substantifs et des verbes annonçant le geste futur du couteau meurtrier :
– la gare est présentée comme une « tranchée [...] trouant » le quartier (l. 11) ; le pont de l'Europe « coup[e] » cette « tranchée » (l. 22) ; les voies vont « se perdre » (comme les personnages qui, pourrait-on dire, mis sur les rails de leur destin vont, eux aussi, se perdre) ;
– enfin et surtout, l'image finale du texte annonce symboliquement la mort de Séverine[1] : « un grand signal rouge tachait le jour pâle ».

Ce « grand signal » est repris à la fin du chapitre, lorsque le train, à bord duquel s'accomplira le crime, disparaît dans la nuit.

CONCLUSION

Ce « roman du rail » nous introduit d'emblée dans le milieu des chemins de fer. La précision dans l'étude du milieu ferroviaire correspond au propos et à la méthode des naturalistes, qui s'attachent à rendre fidèlement le réel. Mais Zola dépasse ce réel et le transcende par sa vision d'artiste.

Le « constat » devient alors un véritable tableau, où le romancier retrouve ou transpose les techniques de ses amis impressionnistes. Le jeu des lignes, les effets de lumière, le flou des formes, toute cette vie secrète qui anime les bâtiments, les voies et les machines, donnent à ces pages leur force poétique.

Le tableau de la gare Saint-Lazare sur lequel Zola a choisi d'ouvrir son « roman du rail » se poursuivra tout au long du chapitre. Il évoluera au fur et à mesure de la tombée de la nuit et en se chargeant des états d'âme successifs des deux personnages. Avec cette description en plusieurs étapes, qui met en relief les différents aspects que peut prendre un même lieu, Zola adopte une méthode semblable à celle de Monet[2].

Cependant, derrière ce tableau impressionniste, se devine, plus dramatique, un arrière-plan de violence et de mort, à peine esquissé, en touches discrètes, mais déjà significatives et étranges.

---

1. Chapitre XI, page 217.
2. Notamment dans les séries des *Meules* et de *La Cathédrale de Roue.*

Texte 2 Chapitre II
(*La Bête humaine*, pages 89 à 90)

Alors, de nouveau, pendant une demi-heure, il galopa au travers de la campagne noire, comme si la meute déchaînée des épouvantes l'avait poursuivi de ses abois. Il monta des côtes, il dévala des gorges étroites. Coup sur coup, deux
5 ruisseaux se présentèrent : il les franchit, se mouilla jusqu'aux hanches. Un buisson qui lui barrait la route, l'exaspérait. Son unique pensée était d'aller tout droit, plus loin, toujours plus loin, pour se fuir, pour fuir l'autre, la bête enragée qu'il sentait en lui. Mais il l'emportait, elle galopait
10 aussi fort. Depuis sept mois qu'il croyait l'avoir chassée, il se reprenait à l'existence de tout le monde ; et maintenant, c'était à recommencer, il lui faudrait encore se battre, pour qu'elle ne sautât pas sur la première femme coudoyée par hasard. Le grand silence pourtant, la vaste solitude l'apai-
15 saient un peu, lui faisaient rêver une vie muette et déserte comme ce pays désolé, où il marcherait toujours, sans jamais rencontrer une âme. Il devait tourner à son insu, car il revint, de l'autre côté, buter contre la voie, après avoir décrit un large demi-cercle, parmi des pentes, hérissées de
20 broussailles, au-dessus du tunnel. Il recula, avec l'inquiète colère de retomber sur des vivants. Puis, ayant voulu couper, derrière un monticule, il se perdit, se retrouva devant la haie du chemin de fer, juste à la sortie du souterrain, en face du pré où il avait sangloté tout à l'heure. Et, vaincu, il restait
25 immobile, lorsque le tonnerre d'un train sortant des profondeurs de la terre, léger encore, l'arrêta. C'était l'express du Havre, parti de Paris à six heures trente, et qui passait par là, à neuf heures vingt-cinq : un train que de deux jours en deux jours, il conduisait.

INTRODUCTION

Situer le passage

L'action du chapitre II se passe à Barentin, station de la ligne Paris-Le Havre. Le mécanicien Jacques Lantier a profité d'un congé forcé dû à une avarie de sa machine pour rendre visite à sa marraine Phasie, femme du garde-barrière Misard. Il y retrouve leur fille Flore, secrètement amoureuse de lui. Le soir, ils se rencontrent dans la campagne, bavardent, et en viennent à s'embrasser.

Mais au moment où le désir s'empare de lui, Jacques se sent repris par sa folie meurtrière et s'enfuit.

Dégager des axes de lecture

Ce passage particulièrement dramatique et mouvementé décrit la fuite de Jacques tentant d'échapper à la « fêlure » héréditaire. Cette « fêlure » prend chez lui la forme d'un désir de meurtre, contre lequel il mène une lutte désespérée. On mesure sa souffrance morale, et la vanité de son combat contre cette part monstrueuse de lui-même.

Tout conspire, dans ce paysage hostile, à le pousser vers son destin, qui prend la forme d'un train passant dans la nuit.

PREMIER AXE DE LECTURE
LA « FÊLURE » HÉRÉDITAIRE

Les origines du mal

La tare héréditaire des Rougon-Macquart a été transmise à Jacques par Gervaise, sa mère, l'héroïne de *L'Assommoir*. Chez son frère Claude Lantier, le peintre du roman *L'Œuvre*, cette même « fêlure » se manifeste en génie névrotique, et en vice chez sa demi-sœur Nana dans le roman éponyme.

Jacques a conscience de la fatalité de cette tare d'origine alcoolique qui résiste à tous les efforts de ceux qui en sont atteints, et rend vains les progrès de la civilisation : « Il en venait à penser qu'il payait pour les autres, les pères, les grands-pères qui avaient bu, les générations d'ivrognes dont il était le sang gâté, un long empoisonnement, une sauvagerie qui le ramenait avec les loups mangeurs de femmes, au fond des bois » (p. 85).

Les symptômes du mal

L'envie de tuer de Jacques s'exerce envers les femmes, et est liée à un dérèglement de sa sexualité. Dès son adolescence, la vue de leur chair révélée ou offerte a suscité en lui le désir de les égorger.

Le mécanisme de cette folie criminelle est analysé longuement, et comme cliniquement, dans les passages précédents du même chapitre. Mais cette analyse n'est pas conduite du point de vue d'un narrateur omniscient qui en ferait de l'extérieur le diagnostic et l'histoire ; elle est relatée en focalisation interne, du point de vue du héros qui découvre avec douleur et révolte la résurgence de son mal héréditaire et se remémore ses vains efforts pour s'en libérer : « son unique pensée » (l. 7), « il croyait l'avoir chassée » (l. 10), le silence et la solitude « l'apaisaient un peu » (l. 14-15).

Il s'agit d'un véritable dédoublement de personnalité, et un des mérites de Zola est bien, avec les connaissances en psychologie encore réduites de son époque, d'avoir décrit ce phénomène avec autant de force.

Jacques a conscience qu'il est double : il corrige le pronom réfléchi *se* (« pour *se* fuir », l. 8) par le terme « l'autre » qui désigne cette part de lui qui veut tuer. Cet autre, c'est « la bête enragée qu'il sen[t] en lui » (l. 8-9). Car Jacques, véritable « bête humaine », a la conscience de l'homme et les instincts de la bête fauve. C'est elle (« la bête »), et non *lui*, qui est porteuse des pulsions meurtrières (voir « Qui est la bête humaine ? », p. 45).

La lutte désespérée de Jacques

Jacques a jusqu'ici déployé d'immenses efforts et pris toutes les précautions « pour qu'*elle* [la bête] ne sautât pas sur la première femme coudoyée par hasard » (l. 12-14).

Il a cru pouvoir devenir un être normal, et la vie lui a laissé sept mois de répit : « il se reprenait à l'existence de tout le monde » (l. 11). Mais c'est au prix du renoncement à toute vie sociale : il partage ses journées et ses nuits entre sa machine et sa chambre, où il vit « enfermé comme un moine » (p. 88). Seule la chasteté peut, pense-t-il, le préserver de la terrible tentation. Et c'est parce qu'il a cédé à un élan sensuel que sa « fêlure » vient de se montrer aussi vivace et dangereuse que par le passé.

DEUXIÈME AXE DE LECTURE
LA FUITE DE JACQUES

La fuite de Jacques est l'élément dynamique et dramatique du texte.

Le dédoublement de personnalité donne lieu à un effet impressionnant, produit par l'inversion de la métaphore habituelle : Jacques, poursuivi par son mal, n'est plus la bête fauve qui attaque, mais le gibier traqué par les chiens d'une chasse à courre : « il galopa [...] comme si la meute déchaînée de ses épouvantes l'avait poursuivi de ses abois » (l. 1-3).

Le pluriel inattendu d'« épouvantes », terme que l'on rencontre d'ordinaire employé au singulier, renforce l'effet dramatique. Le verbe *galoper*, qui appartient au lexique de l'animal, apparaît deux fois dans le texte, appliqué d'abord à Jacques, gibier poursuivi : « il galopa au travers de la campagne noire » (l. 1-2), puis à son double, la bête mauvaise, qui le poursuit : « *elle* galopait aussi fort » (l. 9-10). Car ce couple monstrueux ne peut se défaire.

Jacques fuit sans savoir où, seulement pour fuir. Le style est haletant, les membres de phrase courts ; les répétitions (« plus loin, toujours plus loin », l. 7-8 ; « pour se fuir, pour fuir l'autre », l. 8), et les oppositions (« il monta [...], il dévala », l. 3-4), traduisent sa course effrénée.

Après un paroxysme de sa crise, il croit trouver dans la solitude et la nuit de ce paysage « désolé » (l. 16) à l'image de son état d'âme, un répit momentané : « Le grand silence [...], la vaste solitude l'apaisaient un peu » (l. 14-15). Aussi, dans cette solitude obscure où un autre espérerait de tout son cœur le réconfort d'une présence humaine, lui ne rêve que de « ne jamais rencontrer une âme » (l. 17), et redoute de « retomber sur des vivants » (l. 21).

Mais le destin en a décidé autrement.

TROISIÈME AXE DE LECTURE
LE PIÈGE DU DESTIN

L'hostilité de la nature

Les éléments naturels deviennent comme autant de forces hostiles qui se dressent devant Jacques pour lui barrer la route : le relief accidenté, fait de côtes, de pentes, de gorges étroites (l. 3-4), les deux ruisseaux qu'il doit traverser (l. 4-5), les broussailles (l. 20), la haie du chemin de fer (l. 22-25) s'opposent à son avance et le ramènent inéluctablement vers le lieu où l'attend son destin : la sortie du tunnel.

La syntaxe met en relief ces forces agissantes : elles sont sujets de la phrase : « un buisson [...] lui barrait la route » (l. 6), et surtout : « deux ruisseaux *se présentèrent* » (l. 4-5). Tout se passe comme si les ruisseaux, doués de vie et de conscience, participaient à cet enfermement et, déterminés à l'empêcher de fuir, s'étaient déplacés pour lui faire obstacle.

Jacques est prisonnier d'un paysage dont il ne trouve pas l'issue, métaphore de sa folie à laquelle il ne peut échapper. Pourtant ce paysage lui est familier, puisqu'il a rendu plusieurs fois visite à sa tante Phasie.

La nuit transforme cette « campagne noire » en un véritable labyrinthe. Privé de ses repères, Jacques est sans cesse ramené à son point de départ : « Il devait tourner à son insu, car il revint [...] buter contre la voie, après avoir décrit un large demi-cercle [...] il se perdit, se retrouva devant la haie de chemin de fer » (l. 17-22).

Le train

C'est sur cette voie que l'attend son destin, sous la forme d'un train qui passe à toute vitesse, sortant du tunnel qui en amplifie et répercute le vacarme. Le lexique est de l'ordre du fantastique : le bruit du train est un « tonnerre » (l. 25), ce n'est pas d'un tunnel qu'il semble jaillir, mais « des profondeurs de la terre » (l. 25-26), tel un monstre craché par les enfers.

Ce traitement fantastique du train, récurrent tout au long du roman, prend ici toute sa force parce qu'il peut être mis au compte de la conscience de Jacques, en proie à un état de crise et au summum de la nervosité.

Mais la phrase suivante nous ramène brutalement à une réalité plus rassurante. Ce train est identifié immédiatement par Jacques, qui a retrouvé ses réflexes professionnels. Il lui est familier, puisque « c'était l'express du Havre [...] que de deux jours en deux jours, il conduisait » (l. 26-29) ; il en connaît avec précision les horaires : « parti de Paris à six heures trente et qui passait là, à neuf heures vingt-cinq » (l. 27-28). Jacques est donc apparemment ramené à un monde rassurant.

Mais le lecteur, depuis la fin du chapitre I, possède sur Jacques un surcroît d'information : c'est dans ce train que Roubaud et Séverine sont en train d'assassiner le président Grandmorin. Et c'est parce que Jacques apercevra, fugitivement mais nettement, le crime, que, de témoin devenu vite complice, il formera avec Séverine et Roubaud ce « triangle » fatal où ils se perdront tous.

CONCLUSION

Cette page est une démonstration dramatique de la force irrépressible du mal héréditaire qui condamne Jacques Lantier, malgré sa lutte désespérée, à accomplir son destin.

Cette force dramatique est due en grande partie à la focalisation interne. Le lecteur partage l'angoisse du héros devant son mal héréditaire, la conscience qu'il a d'être double, avec cette part bestiale qui est en lui et dont il ne peut se délivrer. La syntaxe, le rythme des phrases, qui « miment » la course haletante et inutile du personnage, renforcent cet effet.

Le traitement fantastique de la description transforme la fuite de Jacques dans la campagne en une scène de cauchemar. Tous les éléments d'une nature hostile l'enferment dans un véritable labyrinthe, emblématique de sa folie, et l'amènent à l'endroit précis où l'attend le processus fatal qui fera de lui un meurtrier.

Texte 3 | Chapitre VII

(*La Bête humaine*, pages 248 à 249)

Il était sept heures trois quarts, le jour naissait ; mais à peine en distinguait-on la pâleur au ciel, dans l'immense tourbillon blanchâtre qui emplissait l'espace, d'un bout de l'horizon à l'autre. Cette clarté louche où rien ne se distin- 5 guait encore, inquiétait davantage les deux hommes, qui, les yeux pleins de larmes, malgré leurs lunettes, s'efforçaient de voir au loin. Sans lâcher le volant du changement de marche, le mécanicien ne quittait plus la tringle du sifflet, sifflant d'une façon presque continue, par prudence, d'un sifflement 10 de détresse qui pleurait au fond de ce désert de neige.

On traversa Bolbec, puis Yvetot, sans encombre. Mais, à Motteville, Jacques, de nouveau, interpella le sous-chef, qui ne put lui donner des renseignements précis sur l'état de la voie. Aucun train n'était encore venu, une dépêche annon- 15 çait simplement que l'omnibus de Paris se trouvait bloqué à Rouen, en sûreté. Et la Lison repartit, descendant de son allure alourdie et lasse les trois lieues de pente douce qui vont à Barentin. Maintenant, le jour se levait, très pâle ; et il semblait que cette lueur livide vînt de la neige elle-même. Elle 20 tombait plus dense, ainsi qu'une chute d'aube brouillée et froide, noyant la terre des débris du ciel. Avec le jour grandissant, le vent redoublait de violence, les flocons étaient chassés comme des balles, il fallait qu'à chaque instant le chauffeur prît sa pelle, pour déblayer le charbon, au fond du tender, 25 entre les parois du récipient d'eau. À droite et à gauche, la campagne apparaissait, à ce point méconnaissable, que les deux hommes avaient la sensation de fuir dans un rêve : les vastes champs plats, les gras pâturages clos de haies vives, les cours plantées de pommiers, n'étaient plus qu'une mer 30 blanche, à peine renflée de courtes vagues, une immensité blême et tremblante, où tout défaillait, dans cette blancheur.

INTRODUCTION

Situer le passage

Un matin, au Havre, Jacques et son chauffeur Pecqueux prennent leur service à bord de la Lison. Séverine est montée à bord comme chaque vendredi, pour retrouver Jacques à Paris.

Mais les deux hommes s'aperçoivent avec inquiétude que la neige est tombée toute la nuit et risque de les bloquer en plein parcours. On leur donne néanmoins le signal du départ, et le train commence un voyage qui va très vite tourner au cauchemar.

Dégager des axes de lecture

Zola, exploitant le témoignage d'un professionnel des chemins de fer, décide de faire du périlleux voyage d'un train dans la neige un épisode clé de son roman.

À la force dramatique du récit s'ajoute la virtuosité de la description qui, en jouant uniquement sur les différentes nuances du blanc, construit un véritable tableau.

Le paysage, noyé sous la neige, devient alors un paysage onirique qui se charge progressivement de l'angoisse des hommes.

PREMIER AXE DE LECTURE
LE VOYAGE PÉRILLEUX

Les conditions météorologiques

La tempête de neige apparue dès le départ du Havre ne fait que s'aggraver au fur et à mesure que le temps passe.

Les indications temporelles rythment le passage : « il était sept heures trois quarts, le jour naissait » (l. 1) ; « maintenant, le jour se levait » (l. 18) ; « avec le jour grandissant » (l. 21-22).

Les étapes du parcours sont encore autant de repères pour le mécanicien et son chauffeur : « Bolbec, puis Yvetot » (l. 11), « Motteville » (l. 12), la « pente douce qui [va] à Barentin » (l. 17-18). Mais la chute de neige qui ne fait que se renforcer au fil des heures (« elle tombait plus dense », l. 20, « le vent redoublait de violence », l. 22) noiera bientôt le paysage. La visibilité est presque nulle : « à peine en distinguait-on » (l. 2), « rien ne se distinguait encore » (l. 4-5), l'aube est « brouillée » (l. 20).

La tension des hommes

Le récit est centré sur les sensations, les impressions et les sentiments des deux hommes. Aveuglés par le froid et la neige (« les yeux pleins de larmes, malgré leurs lunettes », l. 5-6), ils sont obligés à une vigilance de tous les instants (« les deux hommes [...] s'efforçaient de voir au loin », l. 6-7).

On suit au fil du texte la montée de leur inquiétude : la venue du jour n'a rien de rassurant (« cette clarté louche [...] inquiétait davantage les deux hommes », l. 4-5). L'incertitude des informations sur l'état de la voie qui leur sont données par le personnel des gares traversées, augmente encore leur tension et leur sentiment de solitude : alors que l'omnibus de Paris est « bloqué à Rouen, en sûreté » (l. 15-16), la Lison, « alourdie et lasse » (l. 17), doit se mettre à nouveau en marche. La conjonction *et*, en tête de phrase (« Et la Lison repartit », l. 16), l'adjectif « lasse » employé pour la machine personnifiée mettent en relief ce que la situation a de pénible et de problématique. L'angoisse des deux hommes se transforme en une sorte de cauchemar : « [ils] avaient la sensation de fuir dans un rêve » (l. 27). Le texte dit « fuir », et non « avancer » : le sentiment de peur, déjà exprimé par le mot « détresse » (l. 10), se précise, et le lexique dysphorique de la dernière phrase (« tremblante », « défaillait », l. 31) en accusera encore l'effet.

L'aspect documentaire du récit se vérifie dans la description des gestes techniques qu'accomplissent ces professionnels avertis pour faire face à la situation et assurer la sécurité du train dont ils sont responsables (Jacques et Pecqueux ne sont d'ailleurs plus désignés que par leur fonction de « mécanicien », l. 8, et de « chauffeur », l. 23 : « il fallait qu'*à chaque instant* [il] prît sa pelle, pour déblayer le charbon », l. 23-24 ; « sans lâcher le volant du changement de marche, [il] *ne quittait plus* la tringle du sifflet », l. 7-8).

Mais cet aspect documentaire du récit est relayé par une description d'ordre esthétique qui transforme la scène en un véritable tableau.

DEUXIÈME AXE DE LECTURE
UN TABLEAU IMPRESSIONNISTE

Les impressionnistes ont peint de nombreux paysages de neige, chacun à sa manière voulant triompher de l'exercice difficile qui consiste à jouer seulement sur les nuances que donnent au blanc les variations de la lumière.

C'est dans le même esprit que, dans *Au Bonheur des Dames*, Zola avait écrit le « symphonie du blanc », morceau de bravoure décrivant toutes les nuances des tissus lors de l'exposition de blanc[1] d'un grand magasin. La description du paysage prend ici, et dans les pages qui suivent, l'aspect d'un véritable tableau, animé par « l'immense tourbillon blanchâtre » de la neige (l. 2-3) et des flocons « chassés comme des balles » (l. 22-23) :

– le ciel est incolore : « à peine en distinguait-on la pâleur au ciel » (l. 1-2), « le jour se levait, très pâle » (l. 18) ;
– la terre est devenue « désert de neige » (l. 10), ou « mer blanche » (l. 29-30).

Mais cette « blancheur » (l. 31) est connotée de façon négative, comme l'atteste la présence dans le lexique de termes péjoratifs : le tourbillon est « blanchâtre » (suffixe dépréciatif, l. 3) ; la clarté est « louche » (l. 4), la lueur du jour est « livide » (l. 19), l'immensité est « blême » (l. 31).

Ici, la neige n'est pas un symbole de pureté. C'est un élément maléfique qui transforme la nature en paysage onirique et inquiétant.

TROISIÈME AXE DE LECTURE
UN PAYSAGE ONIRIQUE

La disparition des repères

La campagne, devenue « méconnaissable » (l. 26), n'est plus qu'immensité et solitude. Deux métaphores successives la montrent métamorphosée, d'abord en « désert » (l. 10), puis en « mer [...] à peine renflée de courtes vagues » (l. 29-30).

1. On appelle ainsi l'exposition-vente de linge de maison organisée par les grands magasins en chaque début d'année.

Les éléments caractéristiques du paysage normand, tel que le voient d'ordinaire Jacques et Pecqueux, « à droite et à gauche » (l. 25) de la voie, et tels que les voyait Séverine au cours de ses voyages, ont disparu. « Les vastes champs plats » (l. 28), « les gras pâturages » (l. 28), les « haies vives » (l. 28), les « pommiers » (l. 29), tous ces signes d'une nature cultivée sont maintenant noyés sous la couche de neige qui nivelle le paysage et efface toute trace de vie.

La confusion des éléments

La terre se confond avec le ciel, dans « l'immense » (l. 2) espace indéfini, qui s'étend « d'un bout de l'horizon à l'autre » (l. 3-4).

La description se charge progressivement de signes et d'expressions évoquant le drame cosmique de l'apocalypse[1] ou du déluge : la neige tombe « ainsi qu'une chute d'aube [...] noyant la terre des débris du ciel » (l. 20-21). Le rapprochement insolite de termes abstraits et de termes concrets (« chute d'aube », l. 20), « immensité [...] tremblante », l. 30-31) accroît encore l'effet dramatique du passage.

La peur

En effet, le paysage est tout entier animé par la peur : c'est d'abord l'appel de « détresse » continu du train qui « pleurait » (l. 10), que soulignent les allitérations des sifflantes et les fricatives : « si*ff*let », « si*ff*lant », « si*ff*lement » (l. 8-9), « dé*tresse* » (l. 10).

La nature n'est plus qu'« une immensité blême et tremblante, où tout défaillait » (l. 30-31). Les allitérations de la dernière phrase (« *bl*anche », « *bl*ême », « trem*bl*ante », « *bl*ancheur ») accusent l'aspect effrayant de la vision.

CONCLUSION

Le récit de ce voyage d'un train dans la neige joue sur trois registres :

– Le registre documentaire : Zola, fidèle à son projet, appuie sa description de détails d'ordre technique. Le témoignage de l'ingénieur

1. L'*apocalypse* est un récit prophétique annonçant la fin du monde.

Pol Lefevre sur un voyage réalisé dans ces mêmes conditions l'a renseigné sur les difficultés et le comportement des hommes du rail confrontés à une situation d'exception. Jacques et Pecqueux sont décrits dans les gestes, les attitudes de leur pénible métier.
– Le registre esthétique : à l'instar des impressionnistes attentifs à rendre sur leurs toiles les « effets de neige », le romancier fait de cet épisode un tableau construit sur une seule note : le blanc.
– Le registre dramatique : le texte se charge progressivement de l'angoisse des deux hommes, privés de repères, perdus dans l'immensité inquiétante. Sous la tempête de neige, tous les éléments naturels se confondent, et le paysage familier, d'ordinaire gai et rassurant, a disparu, se métamorphosant en vision fantastique.

Texte 4 | Chapitre x

(*La Bête humaine*, page 377)

Elle, la Lison, il la reconnaissait bien, et elle lui rappelait tout, les deux pierres en travers de la voie, l'abominable secousse, ce broiement qu'il avait ressenti à la fois en elle et en lui, dont lui ressuscitait, tandis qu'elle, sûrement, allait en 5 mourir. Elle n'était point coupable de s'être montrée rétive ; car, depuis sa maladie contractée dans la neige, il n'y avait pas de sa faute, si elle était moins alerte ; sans compter que l'âge arrive, qui alourdit les membres et durcit les jointures. Aussi lui pardonnait-il volontiers, débordé d'un gros chagrin, à la 10 voir blessée à mort, en agonie. La pauvre Lison n'en avait plus que pour quelques minutes. Elle se refroidissait, les braises de son foyer tombaient en cendre, le souffle qui s'était échappé si violemment de ses flancs ouverts s'achevait en une petite plainte d'enfant qui pleure. Souillée de terre et de bave, 15 elle toujours si luisante, vautrée sur le dos, dans une mare noire de charbon, elle avait la fin tragique d'une bête de luxe qu'un accident foudroie en pleine rue. Un instant, on avait pu voir, par ses entrailles crevées, fonctionner ses organes, les pistons battre comme deux cœurs jumeaux, la vapeur circuler 20 dans les tiroirs comme le sang de ses veines ; mais, pareilles à des bras convulsifs, les bielles n'avaient plus que des tressaillements, les révoltes dernières de la vie, et son âme s'en allait avec la force qui la faisait vivante, cette haleine immense dont elle ne parvenait pas à se vider toute. La géante éven-25 trée s'apaisa encore, s'endormit peu à peu d'un sommeil très doux, finit par se taire. Elle était morte. Et le tas de fer, d'acier et de cuivre qu'elle laissait là, ce colosse broyé, avec son tronc fendu, ses membres épars, ses organes meurtris, mis au plein jour, prenait l'affreuse tristesse d'un cadavre 30 humain, énorme, de tout un monde qui avait vécu et dont la vie venait d'être arrachée, dans la douleur.

INTRODUCTION

Situer le passage

Flore, par jalousie, vient de provoquer le déraillement du train que conduit Jacques, et à bord duquel se trouve Séverine. Tandis qu'on secourt les blessés et que l'on compte les morts, Flore, aidée de Séverine, sortie indemne de l'accident, a dégagé Jacques évanoui des débris de sa machine. Il se réveille et, sans s'intéresser aux deux femmes, il tourne les yeux vers la Lison.

Dégager des axes de lecture

Ce passage dépasse la description réaliste d'un de ces accidents de chemin de fer sur lesquels Zola a réuni une abondante documentation. Il présente la mort de la Lison comme l'agonie d'un être vivant, dont les souffrances, ainsi que la douleur de ceux qui en sont témoins, donnent à la scène un caractère éminemment pathétique. Le récit, qui transfigure le spectacle en vision, s'élève au niveau de l'épopée.

PREMIER AXE DE LECTURE
LE RÉCIT D'UNE AGONIE

Alors que le récit s'est proportionnellement peu attardé sur les scènes de souffrance et de désespoir des voyageurs, l'agonie de la Lison fait l'objet de deux longues scènes dans le roman (dont la première se trouve page 369).

La dernière lutte

On assiste aux derniers instants de la locomotive : « La pauvre Lison n'en avait plus que pour quelques minutes » (l. 10-11). Elle se refroidit (l. 11), son souffle se ralentit (l. 12-14) et, après les dernières convulsions (l. 20-22), viennent l'apaisement et la mort.

La phrase qui relate l'ultime moment est construite sur un rythme décroissant, de 11 à 4 syllabes, qui *mime* l'extinction progressive de la vie :

– « la géante éventrée s'apaisa encore » (11 syllabes) ;
– « s'endormit peu à peu d'un sommeil très doux » (11 syllabes) ;
– « finit par se taire » (5 syllabes) ;
– « elle était morte » (4 syllabes).

Le jeu des lexiques : mécanique/vivant

Cette machine est en fait un être véritable qui souffre et meurt. C'est un superbe animal, « une bête de luxe » (l. 16). La « cavale vigoureuse et docile » (p. 196) d'autrefois, « toujours si luisante » (l. 15), git maintenant « sur le dos » (l. 15), « souillée [...] de bave » (l. 14) et blessée à mort. Cette assimilation est développée par une série d'images qui jouent pendant tout un paragraphe sur les lexiques du mécanique et du vivant : comparaisons introduites par « comme » (l. 19 et 20), « pareilles à » (l. 20), ou métaphores (« par ses entrailles crevées », l. 18).

Ainsi, les mots « foyer » (l. 12), « pistons » (l. 19), « tiroirs » (l. 20), « bielles » (l. 21), sont assimilés systématiquement aux parties d'un organisme vivant : les « membres » et les « jointures » (l. 8), les « flancs » (l. 13), « le dos » (l. 15), les « entrailles » (l. 18), les « organes » (l. 18), les « cœurs » (l. 19), « le sang des veines » (l. 20). La « mare noire de charbon » (l. 15-16) est comme le sang qui s'écoule. La fumée est l'« haleine » (l. 23) par où s'enfuit l'« âme » (l. 22) de la Lison.

Cette âme une fois envolée, il ne reste plus que de la matière, un métal informe. L'expression est saisissante : « *le tas* de fer, d'acier et de cuivre qu'*elle laissait là* [...] » (l. 26-27).

DEUXIÈME AXE DE LECTURE
UNE SCÈNE PATHÉTIQUE

Un lexique de la souffrance et de la mort

Le lexique dominant est celui de la souffrance physique qu'accusent des termes hyperboliques : « abominable secousse » (l. 2-3), « fin tragique » (l. 16), « affreuse tristesse » (l. 29).

La description des blessures est, dans son réalisme, un inventaire pénible. La Lison est « blessée à mort » (l. 10), « éventrée » (l. 24-25) ;

ses entrailles sont « crevées » (l. 18), ses membres « épars » (l. 28), son « tronc fendu », ses organes « meurtris » (l. 28). Ses « bras convulsifs » et ses « tressaillements » (l. 21) sont « les révoltes dernières » (l. 22) d'une vie qui lui est « arrachée, dans la douleur » (l. 31) et ne laisse plus d'elle qu'un colosse « broyé » (l. 27).

Le spectacle des souffrances de la Lison s'aggrave de l'avilissement d'une mort obscène. Elle est « souillée de terre et de bave » (l. 14), gît dans une « mare noire » de charbon, « vautrée sur le dos » (l. 15), exposée dans ce qu'elle a de plus intime au regard des témoins qui peuvent « voir, par ses entrailles crevées, fonctionner ses organes » (l. 18).

Cette agonie affeuse, qui transforme cette « bête de luxe » en corps meurtri et exhibé, est mise en relation dans la mémoire du lecteur avec l'horrible spectacle du cheval éventré par l'accident, décrit dans le passage précédent : « le cheval [...] gisait lui aussi [...] perdant également ses entrailles par une déchirure de son ventre » (p. 369).

Le discours intérieur de Jacques

Le récit est dans sa plus grande partie en focalisation interne.

C'est par le regard de Jacques qu'est perçue la Lison. Il retrouve immédiatement en la voyant le souvenir de l'accident (« il la reconnaissait bien, elle lui rappelait tout », l. 1-2).

En symbiose avec elle, il se rappelle « l'abominable [...] broiement qu'il avait ressenti à la fois en *elle* et en *lui* » (l. 3-4). Les deux pronoms s'appellent et se répondent en chiasme : « *lui* ressuscitait, tandis qu'*elle* [...] allait en mourir » (l. 4-5).

Le discours indirect libre, qui nous met au plus profond du discours intérieur de Jacques, laisse apparaître l'affection qu'il porte à la Lison et sa certitude douloureuse de la perdre : « elle, sûrement, allait en mourir » (l. 4-5).

Le style est familier : c'est celui d'un homme du peuple ; il a en outre un caractère oral qui en restitue au plus près les émotions : « il n'y avait pas de sa faute » (l. 6-7), « sans compter que [...] » (l. 7).

La syntaxe a des tournures affectives : « *Elle*, la Lison, il la reconnaissait bien » (l. 1) ; les compléments d'objet précèdent le verbe : le premier pronom, « elle », en tête de phrase, traduit l'immédiateté de la vision. La reprise par le nom « la Lison », doublé du second pronom « la », mime la prise de conscience progressive et douloureuse qu'a Jacques de la réalité du spectacle.

Son premier souci est d'absoudre la Lison de sa responsabilité dans l'accident. Comme il l'a déjà fait à plusieurs reprises, il utilise à son égard un vocabulaire moral (voir chap. v, page 196) : « Elle n'était pas coupable de s'être montrée rétive » (l. 5). De fait, elle n'a pas immédiatement répondu aux ordres de son conducteur, malade et « moins alerte » (l. 6-7) depuis l'épisode de la neige (chap. x)

La tristesse de Jacques, dans la naïveté de son expression (« la pauvre Lison », l. 10; « débordé d'un gros chagrin », l. 9), répond à celle de sa machine qui fait entendre une « *p*etite *p*lainte d'enfant qui *p*leure » (l. 14 ; on peut noter le caractère expressif de l'allitération).

TROISIÈME AXE DE LECTURE
LA DIMENSION ÉPIQUE ET FANTASTIQUE

Les termes hyperboliques que nous avons déjà relevés à propos de l'accident (« abominable secousse », l. 2-3), et de la douleur qu'inspire le pénible spectacle (« affreuse tristesse », l. 29), donnent déjà à l'évocation un caractère de grandeur impressionnante.

Tout au long du roman (voir notamment les chapitres III, x et page 50 du *Profil*), la Lison a été assimilée à un immense cheval. Dans le passage précédent, elle est apparue comme « une cavale monstrueuse, décousue par quelque formidable coup de corne » (p. 369).

Mais cette image animale se confond progressivement avec une image humaine. La Lison disparue, ce qui reste d'elle est quelque chose d'indéfinissable, au point que les métaphores se superposent et s'enrichissent réciproquement. Ce qui reste de la « *géante* » (l. 24) morte, est appelé « *colosse* » (l. 27), puis « cadavre humain, *énorme* » (l. 29-30).

La longue et dernière phrase, qui englobe ces différentes visons de la Lison dans celle « de tout un monde » (l. 30), élève le récit au niveau le plus haut de l'épopée.

CONCLUSION

La mort de la Lison est une étape importante du destin de Jacques. La perte de sa machine l'atteint au plus profond de son être, au point qu'il désirera mourir avec elle. Il perdra en même temps qu'elle cet équilibre fragile qui le protégeait de ses instincts et qui va laisser place à une violence incontrôlée.

La description réaliste des blessures de la Lison préfigure en quelque sorte la mort sanglante de Séverine. Mais les effets de pathétique et l'élargissement épique final intègrent le récit dans la perspective générale du roman.

Une fois de plus, la violence et la mort sont liées à l'univers des trains qui, coupables ou victimes, sont toujours intimement mêlés aux passions des hommes.

Texte 5 | Chapitre XII

(*La Bête humaine*, pages 461 à 462)

Déjà, au loin, le roulement du monstre échappé s'entendait. Il s'était rué dans les deux tunnels qui avoisinent Rouen, il arrivait de son galop furieux, comme une force prodigieuse et irrésistible que rien ne pouvait plus arrêter. Et la gare de Sotteville fut brûlée, il fila au milieu des obstacles sans rien accrocher, il se replongea dans les ténèbres, où son grondement peu à peu s'éteignit.

Mais, maintenant, tous les appareils télégraphiques de la ligne tintaient, tous les cœurs battaient, à la nouvelle du train fantôme qu'on venait de voir passer à Rouen et à Sotteville. On tremblait de peur : un express qui se trouvait en avant, allait sûrement être rattrapé. Lui, ainsi qu'un sanglier dans une futaie, continuait sa course, sans tenir compte ni des feux rouges, ni des pétards.

Il faillit se broyer, à Oissel, contre une machine-pilote ; il terrifia Pont-de-l'Arche car sa vitesse ne semblait pas se ralentir. De nouveau, disparu, il roulait, il roulait, dans la nuit noire, on ne savait où, là-bas.

Qu'importaient les victimes que la machine écrasait en chemin ! N'allait-elle pas quand même à l'avenir, insoucieuse du sang répandu ? Sans conducteur, au milieu des ténèbres, en bête aveugle et sourde qu'on aurait lâchée parmi la mort, elle roulait, elle roulait, chargée de cette chair à canon, de ces soldats, déjà hébétés de fatigue, et ivres, qui chantaient.

INTRODUCTION

Situer le passage

Jacques et Pecqueux, en se battant, sont tombés sur la voie, et le train qu'ils conduisaient, chargé de soldats partant au front, roule maintenant à toute allure affolant sur son passage les spectateurs impuissants.

Dégager des axes de lecture

La force de cet épisode dramatique réside dans la façon dont sont rendus la vitesse effrayante du train et l'effroi des hommes devant l'inévitable issue. Le fantastique a également sa part dans cette image du train fantôme fonçant dans la nuit.

Il s'agit de la dernière page du roman, pour lequel Zola a choisi une fin ouverte et pessimiste, fin symbolique aussi, où l'on voit le train, image des instincts de la « bête humaine », foncer aveuglement vers la mort.

PREMIER AXE DE LECTURE
UN ÉPISODE DRAMATIQUE

Le dossier préparatoire de *La Bête humaine* atteste des hésitations de Zola qui ne savait comment achever son roman après le crime et la mort de Jacques. Il voulait conclure par une fin qui fût à la fois dramatique et symbolique, et l'idée d'un train fou lâché dans la nuit lui parut de nature à prolonger la tension dramatique du récit et à en dégager la valeur mythique.

Bien que les informations qu'il avait recueillies auprès des professionnels lui aient garanti que, dans de telles circonstances, un train privé de conducteur s'arrêterait assez vite faute de charbon, Zola préfère négliger le vraisemblable au profit des effets dramatiques qu'il pouvait tirer de la situation.

Le récit est fait du point de vue d'un narrateur extérieur, témoin de l'emballement du train et des scènes de panique que son passage provoque tout au long de la ligne.

Lexique et art du suspense

Le champ lexical de la vitesse est abondant : « il s'était rué » (l. 2), « galop furieux » (l. 3), « la gare [...] fut brûlée » (l. 5), « il fila » (l. 5), « il se replongea » (l. 6), il « continuait sa course » (l. 13), « sa vitesse ne semblait pas se ralentir » (l. 16-17), « il roulait, il roulait » (l. 17).

« Sans conducteur » (l. 21), livré à lui-même, le train est l'unique actant de l'épisode. Le récit est centré sur lui. Les propositions courtes se succèdent, où il est toujours sujet d'un verbe d'action : « *il* s'était rué », « *il* arrivait », « *il* fila », « *il* se replongea » (l. 2-6), « *il* continuait sa course », « *il* faillit se broyer », « *il* terrifia », « *il* roulait » (l. 13-17).

Dans la seule phrase où le sujet est un nom de lieu, le passé de la voix passive accentue encore l'effet de rapidité : « la gare de Sotteville fut brûlée » (l. 5).

Les noms des étapes de la ligne, Rouen, Sotteville, Oissel, Pont-de-l'Arche, que voyaient autrefois défiler Jacques, qui conduisait l'express (chap. V, VII, X), ou Séverine, sa passagère (chap. IX), jalonnent, de phrase en phrase, le récit de la course folle et donnent la mesure de la vitesse.

Le train, « sans tenir compte ni des feux rouges, ni des pétards » (l. 13-14) passe outre les signaux et les obstacles en « force [...] irrésistible que rien ne pouvait plus arrêter » (l. 4 ; Zola n'évite pas le pléonasme, préférant renforcer l'effet).

Aussi la catastrophe, à plusieurs reprises, est-elle frôlée de justesse, et le suspense du récit maintenu à une extrême tension : « Il faillit se broyer » (l. 15), il fila « sans rien accrocher » (l. 6), « un express qui se trouvait en avant, allait sûrement être rattrapé » (l. 11-12).

La panique des hommes

Les hommes ne sont que d'impuissants et anonymes spectateurs, ignorants de ce qu'il va advenir : « *on* ne savait où, là-bas » (l. 18), « on venait de voir passer » (l. 10), « on tremblait » (l. 11).

Aussi leur terreur est-elle à son comble : « *tous* les cœurs battaient » (l. 9), « *tous* les appareils [...] tintaient » (l. 8-9), « on tremblait de peur » (l. 11), « il terrifia » (l. 15-16).

Une note sonore s'ajoute au tableau : le bruit affolé de « tous les appareils télégraphiques de la ligne [qui] tintaient », afin de prévenir qu'on dégageât les voies, répondant au « roulement » (l. 1), au « grondement » (l. 7) du train.

DEUXIÈME AXE DE LECTURE
UN ÉPISODE FANTASTIQUE

Le décor est propice aux visions fantastiques : « ténèbres » (l. 6 et 22), « nuit noire » (l. 18). Le « train fantôme » (l. 10), tel le « vaisseau fantôme » légendaire qui, privé de son pilote, s'écrase sur un rocher et sombre[1], apparaît comme un animal monstrueux à la « force prodigieuse et irrésistible » (l. 3-4).

La Lison était assimilée à un animal fantastique et la métaphore animale employée à son propos était celle d'une « superbe cavale ». Pour ce train, le lexique est celui de la sauvagerie et de l'aveugle bestialité. C'est un « monstre » (l. 1) au « galop furieux » (l. 3), qui fonce tel un « sanglier dans une futaie » (l. 12-13), une « bête aveugle et sourde » (l. 22) annoncée de loin par son « grondement » (l. 7).

On retrouve tous les termes qui, à plusieurs reprises, ont été employés à propos de Jacques (voir « La Bête humaine : Jacques Lantier », page 46). Ainsi, après le meurtre de Séverine, quand il se réveille de sa folie meurtrière, il « enten[d] un reniflement de bête, grognement de sanglier » (p. 418).

Le train et lui sont liés par leur même sauvagerie de bêtes humaines.

TROISIÈME AXE DE LECTURE
UN ÉPISODE SYMBOLIQUE

Cette fin hallucinante élève la vision fantastique au niveau du symbole, et l'image du train fou fonçant dans la nuit est à interpréter à plusieurs niveaux.

---

1. *Le Vaisseau fantôme* est une légende nordique transmise par Henri Heine et mise en musique par Richard Wagner en 1843.

La « représentation de l'instinct de mort[1] »

L'« instinct de mort » est d'abord et surtout celui, irrépressible, de Jacques, mais c'est également la sauvagerie inhérente – bien qu'à un moindre degré – aux autres personnages : Roubaud, Misard, Flore. Le train sans conducteur est « lâché parmi la mort » (l. 22-23) comme sont lâchés les instincts de meurtre de l'homme que ne contrôlent plus sa raison ni sa volonté.

L'« image d'alors de la France »

Sur le plan historique, Zola, dans son dossier préparatoire, présente le train fou comme l'« image d'alors de la France », promise au désastre. Ce désastre sera, en cette fin du Second Empire, la défaite de Sedan.

C'est vers elle que le train emporte les soldats, « cette chair à canon » (p. 462), qui, ivres et inconscients de leur destin, chantent (l. 28).

Le « progrès qui passe devant la bête humaine déchaînée »

Enfin, le train est un symbole du progrès. C'est ainsi que le présente Zola dans l'ébauche de son roman : le train sera l'image du « progrès qui passe devant la bête humaine déchaînée ». C'est en ce sens que s'exprime Phasie (chap. II) : « Ça, c'était le progrès, tous frères, roulant tous ensemble, là-bas, vers un pays de cocagne » (p. 71).

Mais, dans la dernière page du roman, la perspective s'assombrit. Jusqu'ici, le train, associé au progrès, était opposé à la bestialité de l'homme primitif. Les trains passaient, indifférents aux drames humains, à l'agonie morale de Jacques (chap. II), à la mort lente de Phasie qui se sait empoisonnée (*ibid.*), aux souffances de Flore (chap. X) : « Et ça passait, ça passait, mécanique, triomphal, allant à l'avenir avec une rectitude mathématique, dans l'ignorance volontaire de ce qu'il restait de l'homme, aux deux bords, caché et toujours vivace, l'éternelle passion et l'éternel crime » (p. 76).

1. Gilles Deleuze, Introduction à *La Bête humaine*, Éd. Gallimard, « Folio », p. 23.

Mais ce train qui fonce aveuglément est, cette fois, lui aussi, porteur de mort : « Qu'importaient les victimes que la machine écrasait en chemin ! N'allait-elle pas à l'avenir, insoucieuse du sang répandu ? » (l. 19-21).

Cet avenir n'est plus représenté que par un lieu indéterminé (« on ne savait où, là-bas », l. 18), où tout peut arriver, surtout le pire.

CONCLUSION

Le roman se termine par une fin ouverte : on ne sait où, ni sur quelle catastrophe, s'arrêtera le train fou.

Le récit dramatique de sa trajectoire l'assimile à un monstre emblématique des instincts sauvages de l'homme et d'une histoire qui, comme celle des héros du livre, ne peut s'achever que dans le sang.

Le mythe du progrès, à la fin de *Germinal*, prenait la forme des moissons espérées ; dans les dernières lignes du *Docteur Pascal*, il s'incarnera dans l'image d'une mère allaitant son enfant. Il prend, à la fin de *La Bête humaine*, une figure plus sombre. Faut-il y voir la trace d'un pessimisme passager, ou d'une sagese sans illusion qui tient compte du prix qu'il faut payer pour espérer, dans l'avenir, échapper enfin à la « bête humaine » ?

Bibliographie

OUVRAGES SUR LE NATURALISME

- BECKER Colette, *Lire le réalisme et le naturalisme*, Éd. Dunod, 1998 (2e éd.).
- BORNECQUE Henri et COIGNY Michel, *Réalisme et naturalisme*, Éd. Classiques Hachette.
- MARTINO Pierre, *Le Naturalisme français*, Éd. A. Colin, coll. « U ».

OUVRAGES GÉNÉRAUX SUR ZOLA

- BECKER Colette, *Zola en toutes lettres*, Éd. Bordas, 1990. Panorama sur la vie et l'œuvre.
- BECKER Colette, GOURDIN-SERVENIÈRE Gina, LAVIELLE Véronique, *Dictionnaire d'Émile Zola*, Éd. Laffont, coll. « Bouquins », 1993. Vie, œuvre, époque, théorie, dictionnaire des personnages.
- BORIE Jean, *Zola et les mythes, ou De la nausée au salut*, Éd. du Seuil, 1971. Intéressante interprétation psychanalytique.
- MITTERAND Henri, *Zola et le naturalisme*, Éd. PUF, coll. « Que sais-je ? », 1986.
- ROBERT Guy, *Émile Zola, principes et caractères généraux de son œuvre*, Éd. Les Belles Lettres, 1952. Une étude d'ensemble capitale.

ÉTUDES SUR *LA BÊTE HUMAINE*

- HAMON Philippe, *La Bête humaine de Zola*, Éd. Gallimard, coll. « Foliothèque », 1994. Étude très complète et bibliographie détaillée.
- NOIRAY Jacques, *Le Romancier et la machine. L'image de la machine dans le roman français (1850-1900)*, Éd. José Corti, 1981, 2 volumes (le vol. 1 est consacré à l'œuvre de Zola).
- Ouvrage collectif sous la direction de WOOLEN Geoff, *La Bête humaine de Zola*, Presses de l'université de Glasgow, 1990.

ADAPTATIONS CINÉMATOGRAPHIQUES

- *La Bête humaine*, de Jean RENOIR, 1938. Excellente adaptation du roman, transposé à l'époque contemporaine.
- *La Bête humaine*, de Fritz LANG, 1954. Avec Glenn Ford, Gloria Graham, Broderick Crawford.

Index

Guide pour la recherche des idées

La bestialité

L'épopée

Le fantastique

L'hérédité

L'impressionnisme

La jalousie

La justice

Le monde du rail

Le naturalisme

Le progrès

Le réalisme

La science

La violence et les crimes

Les références renvoient aux pages du Profil.

Impression **Bussière Camedan Imprimeries**
à Saint-Amand-Montrond (Cher), France.
Dépôt légal : mai 2002. N° d'édit. : 23525. N° d'imp. : 022436/1.